GRANDEUR NATURE

METHUEN'S TWENTIETH CENTURY
FRENCH TEXTS

Founder Editor: W. J. STRACHAN, M.A. (1959–78)
General Editor: J. E. FLOWER, M.A., Ph.D.

ANOUILH: *L'Alouette* ed. Merlin Thomas and Simon Lee
BAZIN: *Vipère au Poing* ed. W. J. Strachan
CAMUS: *Caligula* ed. P. M. W. Thody
CAMUS: *La Chute* ed. B. G. Garnham
CAMUS: *L'Etranger* ed. Germaine Brée and Carlos Lynes
CAMUS: *La Peste* ed. W. J. Strachan
DURAS: *Moderato Cantabile* ed. W. J. Strachan
DURAS: *Le Square* ed. W. J. Strachan
GIRAUDOUX: *Amphitryon 38* ed. R. K. Totton
GIRAUDOUX: *Electre* ed. Merlin Thomas and Simon Lee
GRACQ: *Un Balcon en Forêt* ed. P. Whyte
QUENEAU: *Les Fleurs bleues* ed. Barbara Wright
ROBBE-GRILLET: *La Jalousie* ed. B. G. Garnham
SARTRE: *Huis clos* ed. Jacques Hardré and George Daniel
SARTRE: *Les Jeux sont faits* ed. M. R. Storer
SARTRE: *Les Mains sales* ed. Geoffrey Brereton
CONLON (ed.) *Anthologie de Contes et Nouvelles modernes*

METHUEN'S TWENTIETH CENTURY TEXTS

Henri Troyat

GRANDEUR NATURE

Edited by
Nicholas Hewitt, Ph.D.
Lecturer in French Studies,
University of Warwick

Methuen Educational Ltd

First published Librairie Plon, 1936
Text © 1936 by Librairie Plon
French text offset from the Librairie Plon edition

This edition first published in 1980 by
Methuen Educational Ltd
11 New Fetter Lane, London EC4P 4EE

Introduction and Notes © 1980 by Nicholas Hewitt

Printed by
Richard Clay (The Chaucer Press) Ltd,
Bungay, Suffolk

British Library Cataloguing in Publication Data

Troyat, Henri
  Grandeur nature. – (Methuen's twentieth century texts).
  I. Title   II. Hewitt, Nicholas
  843'.9'1F   PQ2639.R78G7

  ISBN 0–423–90110–9

The publishers are grateful to the author and to Librairie Plon for permission
to prepare a critical edition of this work. All rights are reserved.

CONTENTS

INTRODUCTION

I Henri Troyat: from Moscow to Paris

Apart from the momentous events of his early childhood, there is little in Troyat's biography which assists a critical assessment of his literary work. He has, himself, remained consistently reticent about his private life, preferring to concentrate upon his career as a professional writer and upon those literary and artistic influences which conditioned his development. In a collection of memoirs, for example, published in 1956 under the title *Sainte Russie. Souvenirs et réflexions*, only twenty pages are devoted to personal reminiscence, and that itself considerably oblique, whereas the remainder of the book, some 140 pages, deals with his evaluation of certain major Russian writers. Clearly, the essence of Troyat is to be found not in the events of his life but in his own literary production and in the writers who helped him in that creation. Nevertheless, certain facts about his career are known and are important, both for the light they shed upon his later historical novels and for the dominant picture which appears of a totally professional writer, concentrating upon his art and removed from the social, political and artistic battles of his day.

Henri Troyat was born on 1 November 1911 in Moscow, under the name of Lev Tarassoff. His father was a wealthy draper who had begun his career in the Caucasus and owned a chain of stores across Russia. Henri's childhood, therefore, was spent in the luxurious setting of the old Russian bourgeoisie in the last years of the Tsarist régime, a setting characterized by servants, by his Swiss governess who taught him French, and by the lavish entertaining of his parents. This way of life ended abruptly with the Bolshevik revolution of October 1917. By early 1918, the family's position had become so precarious that they were obliged to flee from Moscow and settle in the Caucasus, in the hope that the ensuing civil war would result in the defeat of the Bolsheviks and a return to the old régime. The Bolsheviks' consolidation of power by 1920, however, disappointed these hopes, and the Tarassoff family left Russia to settle in Paris, in the suburb of Neuilly. The evocation of life in Russia under the Tsar Nicholas II and the difficulties of exile in Paris forms the basis of Troyat's first extended novel-cycle, *Tant que la terre durera*, which appeared in three volumes from 1947 to 1949. In the last volume of this work, *Etrangers sur la terre*, and in the first part of *Sainte Russie. Souvenirs et réflexions*, Troyat depicts two central features of the life of the Russian émigrés in Paris in the 1920s: the immense difficulty of the older generation in adapting to life in France, accentuated by language and cultural problems and the belief that their exile could only be temporary, and the ambiguous position of their children who, on one level, were able to integrate much more easily into French life and yet, nevertheless, could not feel themselves to be totally French. It is perhaps this potentially tense situation, with a constant nostalgia for an unattainable and almost unreal way of life, which accounts for a certain isolated quality in Troyat's work. Few writers have such a shadowy grasp of geographical location; few writers concentrate so fully on psychological relationships, removed from time or place.

All the external forces in Troyat's Parisian childhood and adolescence militated in favour of his assimilation into the French community and his gradual distancing from the émigré circles. Armed with his proficiency in French, thanks to his Swiss governess, he was able to attend the lycée Pasteur at Neuilly, and he passed the two parts of his *baccalauréat* in 1929 and 1930. He enrolled as a law student at the Sorbonne, and graduated with a *licence en droit* in 1933. The same year, he took the decisive step towards total integration into the life of his country of adoption by taking French nationalization. This change of status permitted him to enter the Civil Service, and in 1934 he was appointed to a post in the Budget Department of the Préfecture of the Département of the Seine (Paris), a position which he occupied, with two breaks for military service, until his resignation in 1942.

Troyat's interest in literature had begun early. As a *lycéen* and student, he began writing and collaborating in the production of literary magazines. More important, perhaps, his adolescence was marked by a thorough reading of the Russian classics, as well as French authors. In 1935, at the age of 24, he published his first novel, *Faux-Jour*, which was awarded the *Prix Populiste*. From then on he managed to combine a job which allowed him a sufficient amount of free time, and a literary career, marked both by prolific production and by increasing success with the critics and the reading public, culminating in the award of the *Prix Goncourt* for his novel *L'Araigne* in 1938. By 1942, he had established himself sufficiently as a writer to be able to abandon his civil service post and devote himself entirely to literature. From that date onwards he has continued to occupy the position of a best-selling novelist (Gilbert Ganne included him in his study, *Messieurs les best-sellers* [1]) who has nevertheless retained a large measure of serious critical esteem [2]. In 1959, at the age of 48, he was elected to the Académie Française, replacing the adventure-novelist Claude Farrère.

From this highly successful career, two elements emerge of crucial importance for an understanding of Troyat's work: the influence of the early Russian experience, and his devotion to his role of writer, relatively isolated from aesthetic or political trends. Significantly, his Russian past and second-

hand memories only emerge in his work after his mastery of
the short novel form, the short story and literary biography.
After a whole series of short novels devoted ostensibly to the
analysis of contemporary French life, it is not until the first
volume of *Tant que la terre durera*, in 1947, that he turns to
the evocation of Russian society in the years leading up to
the October Revolution. In other words, the depiction of
pre-Revolutionary Russia only occurs in Troyat's work when
he has attained total competence in the short psychological
novel and the short story, when he feels able to use a broader
canvas, depicting a more general historical perspective, and
using especially the major historical-novel techniques of
Tolstoy.

Troyat's use of Tolstoyan techniques in his extended fiction points to one major feature of his use of Russia: that the
influence exerted on him by Russian culture was operated
far more by a close and intensive reading of Russian literature than by personal experience. As he writes in *Sainte
Russie*:

> La Sainte Russie, pour moi qui l'ai si peu connue, c'est –
> plus encore peut-être que l'ensemble de mes souvenirs –
> ce coin de ma bibliothèque où sont rangées les œuvres de
> Pouchkine, de Lermontov, de Gogol, de Dostoievsky, de
> Tourgéniev, de Tolstoï, de Tchekov. . .[3].

It is this expert knowledge of Russian literature, transferred
into his own creation, that constitutes one of the most original points about Troyat's literary production. It has become
a commonplace to observe two major currents of Russian
influence in twentieth-century French fiction: the impact of
Tolstoy, the broad social and historical fresco, represented
by the novels of Romain Rolland, Jules Romains and, especially, Roger Martin du Gard; and the discovery of Dostoevsky, the dramatic, obsessive aspect of the novel, leading
from Gide, through André Malraux, to Camus and Natalie
Sarraute. Yet it is only in Troyat's work, with its close references to Tolstoy and Dostoevsky and its awareness of the

importance of the tragicomic world of Gogol, of the realist tradition of Turgenev and Chekhov, that a full, rich and authentic presence of Russian culture is felt in modern French fiction.

At the same time, Troyat's own insistence on the primacy of the literary influence in his career emphasizes the curiously detached aspect of his work, removed as it seems from both contemporary artistic and political considerations. Here is a career which straddles the politically and philosophically conscious fiction of the 1930s, epitomized by Malraux, the vigorous renewal of the novel's language by Céline, the textually self-aware production of ex-surrealists such as Raymond Queneau and Julien Gracq, the heyday of existential fiction contained in the work of Sartre and Camus, the innovations of the *nouveaux romanciers*. Yet Troyat's work obeys its own laws and follows its own course, taking its points of reference from constant, timeless literary interests and not from the artistic fashion and innovation of the day. It is perhaps in this context that the highly critical attitude towards existentialist philosophers and teachers contained in the novel *La Tête sur les épaules* of 1951 may best be understood. In the same way, Troyat has resolutely refused to adopt a public political stance, either in his literature or, more importantly, outside it. *Grandeur nature*, after all, appeared in 1936, the year of the French *Front Populaire* elections and the beginning of the Spanish Civil War. Yet the novel possesses an almost timeless quality. In an era when novelists, of the Right or Left, felt constrained to enter the historical arena and make pronouncements of a purely political nature, when Malraux was fighting for the Republicans in Spain, when Louis Guilloux was working for the left-wing refugee organization *Secours Rouge*, when Pierre Drieu la Rochelle had joined the leadership of Jacques Doriot's fascist *Parti Populaire Français*, Henri Troyat, like Roger Martin du Gard, based his existence upon the pure, professional production of literature.

For the reader of Troyat, therefore, there are few easy

external facts on which to base an evaluation. The meaning
of his work lies to a certain extent in his knowledge of French
and Russian writers, but far more in the structures of his
books themselves, in the preoccupations which emerge from
the different literary genres he adopted.

II Troyat and the tradition of realism

One of the striking features of Troyat's work is the way in
which, in spite of certain common preoccupations, his
subject-matter and style differ radically according to the
particular literary genre he uses. The short novels, for
example, are constructed upon a precise, psychological
analysis in a given realist setting; the long cyclical novels,
whilst dealing with an immeasurably more complex human
and historical context, adopt a more serene, distant view-
point and achieve at the end a kind of modest optimism; the
most radical break concerns the short stories which, often
directly inspired by Gogol, depart from a realistic depiction
of a situation and enter a world with frontiers on the supernatural, dominated by the character of the Devil himself.

Where Troyat differs from his most celebrated contem-
poraries is in his refusal to feel the need for innovation in
literature and his ability to borrow fruitfully and selectively
from pre-existing literary models. The intellectual and aesthetic crisis of the years following the First World War, the
nouveau mal du siècle, made it impossible for writers such as
Malraux and Céline to accept old forms of literary expression. Inevitably they were forced not merely to seek new
literary themes, often based on the possibility of action as an
antidote to meaninglessness, but to explore new means of
expression in the novel form itself: the replacement of
psychological analysis of character by the depiction of
characters intellectualizing their life of action. Similarly, the
surrealist movement, by calling into question the rational
mind and attempting to substitute a literature based upon
unconscious associations of words, established a current of

literary self-awareness which leads through novelists such as
Raymond Queneau to practitioners of post-war fiction such
as Alain Robbe-Grillet and Claude Simon. Troyat, however,
rather than accepting the necessity of radical change in
modes of literary production, has continued to write by
turning towards the past. Nor is he alone in this; indeed, his
work, along with that of writers such as François Mauriac,
Georges Simenon and Hervé Bazin, is a useful reminder of
the continuation in twentieth-century French fiction of a
healthy, nineteenth-century realist tradition [4].

Grandeur nature, written in 1936, falls into this category
of short, psychological realist fiction, which Troyat practised
right through the 1930s and continued sporadically into the
1950s. Significantly, it is a genre which failed ultimately to
satisfy his literary ambitions, a fact which accounts for his
diversification into the fields of the *roman-cycle* and the
supernatural or fantastic short story. It is useful, therefore,
for a study of *Grandeur nature*, to examine briefly some of
the short novels written at approximately the same time:
Faux-Jour, Le Vivier, L'Araigne and *Le Mort saisit le vif*,
and then to discuss the qualities which these novels do not
possess and which are found in other areas of Troyat's
fiction: the historical novels and the short stories.

Faux-Jour (1935) was Troyat's first novel, which won him
both the *Prix Populiste* in that year and, with it, instant
recognition. The novel opens with the narrator Jean's
reminiscence of his father, Guillaume, decorating the family
Christmas tree. It is an image which dominates the entire
work. Guillaume is a man associated with the unreal, with a
fantasy world, which is ambiguous in its effect on his son. On
one level, as Guillaume deludes himself in the setting-up of
ever more improbable business ventures, he almost irrepar-
ably humiliates Jean; on another, the narrator comes, by the
end of the novel, to an acceptance of what has been positive
in his father's career: the triumph of the power of imagination over sordid reality. He concludes, by reflecting on the
face of the dead Guillaume: 'Vraiment, au terme d'une vie

dédiée aux belles actions et comblée de réussites miraculeuses, mon père n'aurait pas eu un autre visage' [5]. The novel is remarkable in the context of Troyat's short fiction for its concentration upon the positive aspect of elements which will later be presented in a more sinister light: the ability of a weak character to live in a self-created world of fantasy [6], and a close relationship between father and son which never totally loses a base of warm affection. In addition, it is one of the few works of Troyat to be set in an evocative and definable location. The final section of the novel, centred on the seedy hotel in which the father and son are living and the disreputable bars in which they spend their days, catches a certain recognizable Parisian social climate quite as accurately as the *populiste* novels of Eugène Dabit, Pierre MacOrlan and Francis Carco.

With *Le Vivier*, similarly published in 1935, the emphasis shifts. The novel takes place no longer in the half-cosy world of Populist Paris, but in a vague, ill-defined provincial setting. Whereas *Faux-Jour* can still see some value in close, inter-family relationships and a devotion to the fantasy world, *Le Vivier* adopts a gloomier vision. It describes how Philippe, a young Parisian, lazy and unmotivated, comes to convalesce with his aunt, Mlle Pastif, who is companion and maid to an old landowner, Madame Chasseglin. Gradually, Philippe comes to supplant his aunt in her employer's affections, to the extent that Mlle Pastif is driven out and her nephew installed in her place, as secretary. Henceforth, Philippe sinks into a warm, protected unthinking existence: the *Vivier* of the title. The final crisis arises when Philippe is almost lured back to Paris by Madame Chasseglin's daughter, Nicole, but his natural inertia triumphs and he remains in his cosy life of inaction. It is with this novel that the basic typology of Troyat's short fiction is established: a fascination with weakness, particularly in young characters; a view of family situations as battlegrounds, based upon domination and intrigue; a favourite use of images of play-acting to denote only inauthenticity.

The interest in the claustrophobic nature of the family and the uneasy, unhealthy relationship between weakness and domination in adolescence, is developed and intensified in the novel for which Troyat won the *Prix Goncourt*: *L'Araigne*, of 1938. Gérard Fonsèque, a cynical young intellectual, lives alone with his mother and three sisters. His role is that of the spider in the title of the novel: he manipulates and dominates his family and, ultimately, he poisons every honest and authentic emotion. Yet Gérard's ambition is doomed to failure. Aspiring to become the unchallenged, protected centre of an admiring family circle, he sees his mother die and his sisters, in spite of all his plots, leave, one by one, their gloomy apartment in the Place des Vosges in order to marry. Desperate, Gérard attempts to recapture his sisters' attention by simulating suicide, but he miscalculates the amount of the drug he takes, and dies, 'un intellectuel raté, aigri, malade' [7].

The novel presents Troyat's most intensely pessimistic psychological portrait. The Fonsèque sisters, particularly the eldest, Elizabeth, have the same pathetic desire to live, to escape from the darkness of Gérard's spider's web, as Chekhov's heroines in *The Three Sisters*. Yet it is in Gérard himself that Troyat's psychological analysis of an emotional 'fonds sec' is most acute. For not only does he present a more developed portrait of the family tyrant, who uses superior intellectual capabilities in order to impress and dominate; he provides cogent psychological reasons for Gérard's state of mind. On a general level, Gérard's will to domination is shown to be the result of his mother's attitude towards all her children: she is anxiety-prone and over-protective. Hence, whereas Philippe, in *Le Vivier*, simply wallows in the protectiveness provided by Madame Chasseglin, Gérard Fonsèque exploits it to the full and transfers it into a field for domination. At the same time, his urge to be the constant centre of affection is shown to be, in part, compensation for an earlier sexual humiliation. The theme of the unhealthy domination of a family relationship by an adolescent is one to which

Troyat returns, incidentally, in the best-known of his later novels, *La Tête sur les épaules*, of 1951. Here Troyat portrays a *lycée* student, Etienne Martin, who leads a comfortably protected existence alone with his mother. His inadvertent discovery that his father had been executed at the end of the Occupation for murdering those refugees who had trusted him to guide them over the Pyrenees to Spain, coupled with an innate sense of intellectual superiority, leads him to see himself falsely as a Sartrean existentialist hero. The real shock to his existence, however, is the realization that his mother is preparing to remarry and that his self-centred, cushioned way of life is seriously threatened. Like Gérard Fonsèque, he instinctively sets out to sabotage this dangerous love affair, and tragedy is only prevented at the last moment by the humanity and good sense of his mother's fiancé.

Troyat's exploration of mediocrity and inauthenticity becomes more complex in his novel of 1942, *Le Mort saisit le vif*. Here, he depicts Jacques Sorbier, the modest editor of a children's comic, *Le Rataplan*, reminiscent of the hero of Jean Renoir's film *Le Crime de Monsieur Lange*, who is persuaded by his wife, Suzanne, to publish under his own name the manuscript of a novel written by her dead husband, Georges Galard. The novel becomes a huge success, winning the fictitious *Prix Maupassant*, and Sorbier is turned overnight into a respected and adulated literary figure. Throughout the novel, Sorbier is made constantly aware of the falsity of his position, a falsity which becomes unbearable when he realizes that Suzanne is transforming him into a substitute for the one person she has ever loved, her dead husband. Rejecting the temptation to publish further material by the dead Galard, he breaks away and leaves. The novel is interesting, not merely for the accentuated use of mirror and actor imagery to denote inauthenticity, nor merely for the portrait of a failure; a *raté* unable to live up to a destiny he has not earned, but also for the picture of Parisian literary life in the 1930s. Troyat has drawn extensively on his own experience of French publishing circles and especially on his winning of the *Prix Goncourt*. More especially, the dead author, Galard, a cynical doctor who writes in an abrasive, *populiste* style, appears to owe much to Louis-Ferdinand Céline, an author from whom Troyat and his hero, Sorbier, are equally distant. Finally, the form of the novel, that of an extended letter/confession to the wife he is leaving, marks a departure from Troyat's earlier use of more traditional modes of narration, and coincides with his growing interest in the short story and the novel-cycle.

Troyat's early fiction, therefore, concentrates on a relatively restricted number of preoccupations, conveyed through a basically non-innovatory narrative form. These short novels are firmly in the field of psychological realism. In his treatment of the family and family relations, he joins a tradition from Vallès, through Gide, to Mauriac and Céline, which sees this group pessimistically as the claustrophobic setting for a sordid power struggle, a struggle waged, not with melodramatic gestures, but through petty, day-to-day triumphs and defeats. The prizes which are fought for are attention and protection, and only one figure in the family group can win them. When a rival appears, the banal tragedy begins. For this reason, Troyat is particularly interested in the adolescent, unwilling to shed or concede the protection of a family circle of which he is the centre, or in those adults who, through temperament, like Guillaume in *Faux-Jour*, or through their profession, such as Antoine Vautier in *Grandeur nature*, have never achieved full responsibility.

Hence, when the early novels are not concerned with the neurotic adolescent, like Philippe in *Le Vivier*, Gérard Fonsèque or Etienne Martin, they tend to concentrate on the role of the adult failure, the *raté*, who attempts to repress the consciousness of his own inadequacy, either by dominating his family circle or by retreating into a fantasy world which is never quite strong enough to withstand his lingering doubts. It is for this reason that one of the most striking stylistic features of Troyat's work of this period is his use of mirror imagery and the metaphor of the theatre. The mirror, for the self-preoccupied adolescent, such as the narcissistic Gérard Fonsèque, serves to reinforce him in the world of which he is master; for the adult, however, the mirror also tells the truth: it is the very image of the protagonist's superficiality and inauthenticity. A mirror reflects, but also inverts and hence deforms: the multiplicity of images and their inherent falseness signify the way in which Jacques Sorbier or Antoine Vautier are merely so many roles. And in this context, Troyat consistently uses the image of the theatre, of acting, to denote a flight from reality, admirable in some ways, as in the case of Guillaume, but thereafter an element of danger to any human relationship. Such a use of imagery is, of course, personified in the character of Antoine Vautier, a professional actor.

If Troyat's short fiction appears almost exclusively concerned with the realistic exploration of psychological tension in a restricted social setting, it is worth noting that one of his later excursions into the genre represents a considerable departure from these preoccupations. *La Neige en deuil*, published in 1952, is set in the French Alps and has as its main character a mountain guide, Isaïe Vaudagne. After a series of climbing accidents, in which his clients have been killed and he has been injured, Isaïe has retired from mountaineering, but is persuaded to make one more climb when an airliner crashes on to an Alpine peak and his brother, Marcellin, insists that he lead him to the wreckage in order to plunder it. In spite of his dependent affection for Marcellin, Isaïe is so shocked at this robbing of the dead that he abandons his brother on the mountain-top and descends alone, carrying a dying woman passenger. In his evocation of the mystery of the mountains and the mystique of the Alpine guide, and in his concentration upon the epic nature of Isaïe's struggle, Troyat appears to be searching for a new area of experience for his novels. Yet, in spite of the novel's removal from a claustrophobic urban setting, certain well-established features of the author's work appear. For Troyat the short novel is still primarily the field of exploration of a small group of characters, dominated by one major figure with one guiding obsession. At the same time, the familiar preoccupation with tense relations of dependency between characters recurs, though in an inverted way. Isaïe only allows himself, against all his principles, to lead Marcellin up the mountain to the wreck because his brother has threatened to leave him if he will not. It is this which renders Isaïe's desertion of Marcellin at the end of the novel all the more poignant. In contrast with the pessimism of the earlier novels, *La Neige en deuil* now shows a sense of human dignity and human comradeship triumphing, not merely over the greed of Marcellin, but over the dependence of his brother.

Already in the late 1930s, Troyat was showing signs of dissatisfaction with the short novel form and beginning to experiment with other modes of fiction. This took the form initially of short story writing and then, in the late 1940s, of the creation of multi-volume novel-cycles. The interest in shorter fiction begins in 1938 with the publication, in one volume, of two novellas, *La Clef de voûte* and *Monsieur Citrine*. The first, narrated by the protagonist, describes the plight of a middle-aged bachelor who lives alone with his sister. Having returned home moody from work one day, he sends her out to buy some aspirin for him and she is accidentally knocked down and killed. His growing obsession with her death and his conviction that he is really her murderer leads him to become literally haunted by her. Monsieur Citrine is a millionaire, living in Neuilly, who suffers from loss of memory. In order to have the day's events recorded for him, he hires a young man, Jean Piguet, to follow him around and report in the evening. All goes well until Monsieur Citrine's memory returns and he discovers that Piguet has broken through the restraints of being another man's memory and has simply made things up. Although both stories retain an interest in unhealthily close human relationships in which figures vie for dominance, Troyat has broken away from a strictly realist world to one of obsession which leads to fantasy and magic.

Le Jugement de Dieu (1941) accentuates this progression. It contains three novellas, all set this time in a mythical past. *Le Jugement de Dieu* itself shows how a medieval felon, miraculously saved from execution, lives on through the centuries, condemned never to be punished. *Le Puy Saint-Clair* is set in Tulle during the Wars of Religion and describes how a young sculptor, after finally coming to an authentic, unselfish love for his dead bride, is able miraculously to resurrect her. Finally, in *Le Merveilleux voyage de Jacques Mazeyrat*, a carpenter is seduced away from his home town of Dieppe by the mysterious figurehead of a ship, and after many wanderings is brought back to his fiancée by the intervention of St John. In this volume there are two major points of interest. Troyat is now openly willing to use the supernatural and the miraculous in the body of his fiction. At the same time, the purpose of the miraculous in the last two stories is to restore the characters to that state of everyday normality which remains the central ground of Troyat's fiction.

The nine short stories that make up *La Fosse commune* of 1941 continue this trend towards the supernatural, often centred on a preoccupation with death. In a mixture of fantasy, light humour, but with an undercurrent of seriousness, Troyat establishes the same disturbing world as that found in the short stories of Gogol, *Tales from a Ukrainian Farm*. In a major sense, this mixture constitutes the most original and effective aspect of Troyat's literary production, and one which he has continued to refine in the course of his career.

In 1947 appeared the first volume of the first of Troyat's many extended novel-cycles. *Tant que la terre durera*, to be followed by *Le Sac et le cendre* and *Etrangers sur la terre*, traces the destinies of a well-to-do Russian family before the First World War. It describes the love and marriage between Tania Arapoff and Michel Danoff, the son of a rich drapery merchant, and their subsequent move from the Caucasus to Moscow. As the novel-cycle develops, Troyat shows how the couple are affected by the war and the two revolutions of 1917, and how other members of the family network fare in a period when the old order is collapsing. The final volume depicts the family's establishment in Paris and their attempts to come to terms both with their own state of exile and with an alien culture. In this novel, as well as in his later cycles, Troyat exhibits considerable ability in integrating well-documented historical material into a fictional framework which depends upon an expert handling of a large cast of characters. In this context, he occupies an honourable position in the established French literary tradition of the *roman-fleuve*, exemplified by Romain Rolland's *Jean Christophe*, Jules Romains's *Les Hommes de bonne volonté*, Roger Martin du Gard's *Les Thibault* and Georges Duhamel's *Chronique des Pasquier* and *Salavin* cycles. It is a genre in which he continues to work and for which, in France, he is possibly best known. *Tant que la terre durera* is succeeded by the study of a French provincial family, *Les Semailles et les moissons*, followed in its turn by a further evocation of Russian history in *La Lumière des justes*. Two important elements emerge from these novel-cycles. The first, as R.-M. Albérès observes, is a peculiar quality, found in no other author of extended fiction, a unique blend of Russian and French tones:

> Il y a chez lui du Berlioz, et aussi du Dvorak. Côté français, une certaine logique psychologique qui sépare ses personnages de ceux de Dostoievsky et même de ceux de Tolstoï. Côté slave, une certaine musique du destin qui distingue ses cycles romanesques de ceux de Jules Romains, de Georges Duhamel ou de leurs successeurs [8].

The second is a quality more important for a general study of Troyat's fiction, a narrative impartiality concerning characters, an ability to shift the point of view so that each person in the novels, with his own beliefs and obsessions, appears entirely justified. Thus, in *Tant que la terre durera*, the revolutionary, Nicolas, is treated with the same objectivity and sympathy as the Tsarist officer, Akim. It is this quality, to which Troyat himself draws attention in *Sainte Russie*, which helps explain the shifting sympathies in *Grandeur nature* itself.

Finally, no general study of Troyat can be complete without at least passing mention of his considerable status as a literary biographer. Beginning with his major study of Dostoevsky, published in 1941, he has produced a series of extended and deeply-researched biographies of Pushkin, Gogol, Tolstoy and Lermontov. This series reinforces Troyat's position as a major communicator of the Russian tradition to France. It also serves to emphasize again the author's professionalism and the more complex nature of his work: the ambiguous interaction between historical fact, reality and the manipulations of the author. He writes, in *Sainte Russie*: 'Tout homme de lettres est à la fois pilleur d'épaves et marchand de masques' [9], and it is this view of the novelist, realistic beachcomber and skilled manipulator, which is so clearly demonstrated in *Grandeur nature*.

On an initial reading, *Grandeur nature* appears as one of Troyat's least problematic works. Its main subject-matter, a second-rate, self-centred actor who inadvertently causes his own downfall by pushing his son into a success of which he himself is incapable, illustrates copiously the thematic preoccupations of Troyat's early period. The role of the father as *raté* continues the portrait of the father–son relationship in *Faux-Jour*; the emphasis on the struggle for power within a small, claustrophobic family unit is a common feature of Troyat's fiction at the time, as illustrated by *Le Vivier* and *L'Araigne*; and the treatment of the ambiguous and ironical situation of the principal character, Antoine Vautier, allows Troyat to make full use of his favourite images of narcissism and inauthenticity: the mirror and the actor. Indeed, these image patterns, far from merely serving the expression of the subject-matter, could be said to generate it. The novel, therefore, would appear to raise few problems and to justify the lack of critical interest in it. W. D. Howarth's description of it, in his introduction to *La Neige en deuil*, as the story of a 'mediocre, unsuccessful actor and his wife' [10], appears to encompass its major interests.

The novel is, however, considerably more complex than it first appears, and its complexity is due precisely to Troyat's use of Antoine Vautier as the personification of that strain of actor imagery which denotes inauthenticity. The problem is that Vautier is both the actor and the father, and the two roles are indissoluble: his status as actor governs the way in which he reacts to his family; his relationship with Jeanne and Christian dictates his attitude to his acting career. Whereas in *Faux-Jour* Troyat simply uses his acting imagery to underline the irresponsibility and dreamlike quality of the father, Guillaume, in *Grandeur nature* the profession of actor is not merely a metaphor, it is a professional and economic fact, and as such determines not only Vautier's actions throughout the novel, but also the structure and style of the work itself.

III Grandeur nature

The actor and his 'milieu'

Antoine Vautier's status as a member of the acting profession is given at the very beginning of the novel, as he sits in his shared dressing-room removing his make-up. He is a second-rate Vaudeville actor, reduced to insignificant parts in obscure and inane comedies performed in the suburbs or on tours of the provinces. His career to date is ruthlessly summarized by Troyat in a few lines:

> Antoine Vautier avait travaillé ferme, mais il attendait encore le succès. Un accessit au Conservatoire, trois années d'Odéon, un chapelet de rôles secondaires dans des théâtres de quartier, des tournées hâtives, des

silhouettes mal payées au cinéma, des saynètes à la radio. . .[11].

Not only is Vautier's career totally undistinguished, it is also highly vulnerable; he is constantly, like his fellows, faced with unemployment. As the novel opens, the comedy in which he is currently performing, *Pitchounette et son pompier*, is about to be faced with premature closure, announced by the liberal distribution of complimentary tickets.

To this description of Vautier's achievements as an actor, Troyat adds a significant detail: he is following precisely in the footsteps of his father, 'un mime de talent certain mais de renommée nulle' [12], a fact which confers an almost predestined element on Vautier's failure. Moreover, the fact that Vautier's father has forced him into the acting profession, in the same way that Vautier himself will push Christian into the role of Jack, underlines the irony of Antoine's ultimate jealousy.

In his creation of Vautier, who is unable to understand his professional failure, who still dreams, at the age of 40, of playing tragic roles and persists defiantly in seeing his work hitherto as merely 'des hors d'œuvres' [13], Troyat is obviously relying heavily on a stock literary type: the ageing comedian who longs to play Hamlet, the seedy music hall artist unable to come to terms with the ironies of his own profession, exemplified by John Osborne's Archie Rice in *The Entertainer*. What is interesting about Troyat's depiction of the world of the theatre is that it comes at a period of particular crisis: the mid-1930s. In one of the few references to a specific historical fact, Troyat describes an actors' café visited by Vautier in an attempt to escape from Jeanne and Christian, and remarks, of one of the main topics of conversation: 'On se plaignait de la crise' [14]. The worldwide recession following the Wall Street Crash of 1929 did not begin to affect France until the early 1930s. Among those areas of investment hit, along with the more important heavy industry, was investment in theatre productions, thus making the career of an actor even more vulnerable.

In addition to this faintly sketched economic factor, there are further reasons for Antoine Vautier's professional difficulties, all connected with the challenge presented by the rise of the sound cinema, the production of which Troyat describes with knowledgeable detail during the making of *Jack* and *Le Petit Prince Mirka*. When *Pitchounette et son pompier* is taken off after only a short run, Vautier notes that in spite of the producer's encouragement and promises of further roles a screen is being mounted on the stage and the *Eden-Palace* is being turned into a picture-house [15]. The novel therefore has as its background the period when the cinema, with its new attraction of soundtrack, was beginning to force the innumerable local and suburban theatres into closure, and thus put out of work the vast army of minor actors who staffed them and eked a modest living from them.

The threat presented to Vautier by the cinema, however, is more profound. After all, if it destroyed jobs in the theatres, it also created them in the form of minor roles and walk-on parts and the dubbing of foreign films, all of which Vautier does. In addition, more opportunities are opened up by the newly-created commercial radio station. Where Antoine is deeply affected is not in the loss of openings, but in a radical change in acting technique occasioned by the rise of cinema and radio. This is seen clearly in Christian's success in ignoring his father's advice at his audition with Despagnat and, more painfully, in Despagnat's exasperation at Vautier's exaggerated acting during the shooting of *Le Petit Prince Mirka*. This description corresponds very clearly to a revolution in acting technique in the French cinema of the 1930s, a change which is associated particularly with Jean Renoir who, following the advice of one of his favourite actors, Michel Simon, urged his cast monotonously to repeat their parts as if they were entries in a telephone directory, until they were able to be so infused with the role that they could convey a real and effective emotion. The problem is that Vautier is far removed from this style of 'jeu rentré' [16]; he is an actor of the old school, an exaggerated Vaudeville comedian, unable to work in a restrained, limited area of subtlety. It is this, specifically, which condemns him, and part of his modest tragedy lies in the fact that he is not merely out of work, he is also out of date.

Troyat's picture of the seedy world of second-rate, downtrodden actors, fighting desperately against the inevitable closure of their shows and constantly facing the humiliating round of the theatrical agents, is convincingly drawn. Indeed, each of the aspects of the actor's life which Troyat chooses to portray: the 'théâtre de quartier', the actors' cafés, the film studio, the radio and the provincial tour, appear authentic and well researched. Significantly, however, the world of the novel is that of the minor actors and not that of the stars. The only star who appears is Monica, the heroine of *Jack* and *Le Petit Prince Mirka*, and, of course, Christian himself.

It is this world which explains Antoine Vautier and which has created him. One of the major qualities of all the actors in the novel is their pessimistic ability to blame every other conceivable force for their failure whilst retaining intact a faith in their own talent and their own future. For these men and women, the enemies are always external: the economic situation, theatre managements, impresarios, directors, critics. Never for one moment is the personal value or responsibility of the actor called into question.

Yet as long as it is possible to attribute the responsibility for failure to inept or malevolent external forces, this life of the second-rate actor has something dangerously appealing about it. Vautier's dreams can remain intact: that hitherto an amazing blindness on the part of impresarios has held him back, but that one day the fateful big role will arrive which is all that is needed to give him instant recognition [17]. In the meantime, he is quite content to subscribe to other myths of his profession such as the often-debated project to bypass directors and managements by setting up an actors' cooperative [18] which will give them all success, a project as devoid of meaning and as futile as the exchange of addresses after the closure of each show. The fact is that, as long as his dreams of ultimate success remain intact, Vautier finds his world of professional camaraderie, minor press notices and undemanding roles (his role in *Pitchounette* is described as 'de tout repos' [19], and he is not even required to take a bow at the end) agreeably cosy; it is, after all, in this world that he seeks refuge with the growing success of Christian. The fatal error of Vautier is to overturn this comfortable, though modest, existence through his almost gratuitous decision to launch Christian on a career in the cinema. Once that decision is taken it is irreversible; never again can his humble roles and sordid dressing-rooms satisfy his self-esteem, when he has seen the full star treatment lavished on his own son. More important, it is not just his *self*-esteem which is shaken, but, inevitably, the consideration in which he is held by his own family.

Antoine Vautier and his family

The description of Vautier's return to his apartment after the danger signals for *Pitchounette* have become apparent defines precisely his role within his family – that of a temperamental, benevolent despot in a small setting. Troyat's emphasis on Jeanne's preparations for Vautier's homecoming [20]: the setting of the table, the ritual rolling of the cigarettes and the placing of the pastilles in a convenient place, underlines her role in relation to her husband, which is that of a willing, adoring servant. Indeed, it was for this reason that Vautier married her in the first place: 'Au cours d'un bénéfice en banlieue, il avait rencontré une jeune fille dont l'admiration plus que la beauté l'avait séduit' [21]. It is this admiration which helps to sustain Vautier in his comfortable and mediocre life, and which enables him to dominate, even tyrannize Jeanne through a crude form of emotional blackmail. Troyat has already detailed Vautier's exaggerated care for his voice and throat, a care which transcends the professional and verges on hypochondria. Yet it is precisely this hypochondria which establishes him as the centre of his family circle and through which he asserts himself against Jeanne. The lozenges, the inhaler, all serve as reminders to his family that Antoine Vautier is its head and its *raison d'être*. This assertiveness is extended in a constant emotional trait of Vautier's, that of expressing genuine or feigned despair in order to receive comfort. Troyat writes: 'Il avait un tel besoin d'admiration qu'il se plaisait à la provoquer parfois par des propos défaitistes' [22]. Vautier thus triumphs through apparent self-abasement. His hypochondria and his self-denigration appear to place him in a subordinate position to Jeanne, but in reality, by drawing out her admiration and protectiveness, he establishes his own dominance. The inherent problem is that this comfortable domination can only be maintained as long as the same response can be provoked from Jeanne; when that fails, when she no longer cares, Vautier's vulnerability becomes genuine and threatening.

The other factor which establishes Vautier as the centre of an admiring universe is financial: he is the sole breadwinner. Quite apart from the professional status of each of his jobs, each role, because of the precarious financial state of the family, assumes crucial importance. The problem is that these two factors, the emotional and the financial, reinforce each other and serve, before Christian's success, to ensure the domination of Vautier. With *Jack*, however, both emotional and financial precedence shift to Christian (it is his money which buys the family luxuries), and whilst the role of breadwinner reverts to Antoine at the end of the novel, he discovers bitterly that it is poor compensation by itself without the emotional affection which should go with it. Jeanne's avid interest in the fees for his radio performances [23] emphasizes that henceforth he can no longer be anything more than the family paymaster.

Even before Vautier's return home to his admiring family

circle, there are significant warning signals. It is highly important that before describing Jeanne and Vautier as a couple, Troyat spends considerable time portraying the relationship between Jeanne and Christian, a precedence in terms of the narrative which announces the emotional precedence that Christian will take over Antoine. This initial dialogue emphasizes two aspects of the relationship: the close complicity between Jeanne and the precocious Christian which exceeds in spontaneity and intensity anything which passes between her and Antoine, and, more significantly, the intense protectiveness on Jeanne's part towards her son. When Christian is attempting to feign illness in order to miss a mathematics test, Jeanne dramatically overreacts:

> Elle réprima un cri:
> 'Qu'as-tu?' ...
> ... Il dut s'effrayer de cette voix rauque, de ce regard inquiet ... [24],

a reaction which announces not merely her anxiety at Antoine's proposal of *Jack*, but also her unbearable idolizing of her son after the success of the film and her obsessive preoccupation with his health after the failure of *Le Petit Prince Mirka*.

There is one final danger-signal in the family relationships before Antoine takes his foolish decision and this concerns the nature of the relationship between Antoine and Jeanne. Because of Antoine's own ploy of seeking protectiveness from Jeanne, the relationship is not described in sexual terms. It is far less a relationship between husband and wife than that between son and mother. The irony is that the relationship between Antoine and Jeanne is of the same order as that between Jeanne and Christian: to both figures she shows the same subservience, admiration and protectiveness. It is Antoine's misfortune that he is unable to see this and that he does not recognize how easily Jeanne can transfer her allegiance to Christian. In effect, Antoine and

Christian are unconscious competitors for Jeanne's all-consuming admiration, and it is Antoine's decision to launch Christian on a film career which gives his son an unbeatable advantage.

In this sense, therefore, the novel may be read simply as a family novel, in which the roles of father and son are inverted when the son outstrips the father in worldly success. If Jeanne's original ambition for Christian, that he become a lawyer or a doctor [25], were fulfilled, the result would be substantially the same: an unbearable contrast between a successful son and a mediocre father [26]. That Christian's initial triumph should be in the cinema, however, guarantees that it can occur with dramatic suddenness and transform the family's situation overnight. More important, it significantly tightens the irony. Christian's entry into the cinema can be achieved only through the professional recommendation of his father, and Christian's excelling in the precise field in which his father has failed to rise to prominence deals a severe blow to Antoine's pride.

The tragedy for Vautier is that all this comes about solely through his own action, an action whose motivation remains obscure. Vautier's overtures to Despagnat can certainly not be explained uniquely by the financial position of the family. Desperate as it may be, the solution of taking Christian away from the *lycée* and putting him into films is too unusual and too radical to be seen simply in terms of paying the rent. Instead, Vautier seems to be following in the footsteps of his father, continuing, for no apparent reason, a family acting tradition, propagating an acting dynasty of which he sees himself as the undisputed leader, and believing that he is entitled to benefit vicariously from the success of his son.

Yet the central defining characteristic of Vautier is precisely a total lack of awareness, either of other people or, more importantly, of himself. With absolutely no gift for introspection, he blunders into a situation which he cannot control and which soon overwhelms him. Not for one moment, during all the preparations for *Jack*, does he imagine that Christian's success could change anything. His blindness is encapsulated in the scene in the taxi after the première of *Jack* when, slightly drunk, he proclaims: 'Un grand jour! Un grand jour! . . . Le plus grand jour de ma vie! . . .' [27]. The remark is interesting, not merely for the massive irony it contains, but for the light it throws on Vautier's attitude to Christian's success. Vautier's reaction clearly exceeds mere parental pride in a son's achievement. 'Le plus grand jour de *ma* vie! . . .': Christian's triumph is really his own triumph. He is both father *and* impresario and, in his own mind, Christian is merely an instrument to his own acclaim.

What Vautier fails to see is that, after his initial unthinking act, he has lost control of his situation. Yet it is precisely a blind faith in his ability to control and direct events, against all external evidence to the contrary, that characterizes him throughout the novel. And this faith takes two forms: a belief that he remains in control of his family and his destiny when, manifestly, the centre of gravity has shifted to Christian; and a corresponding sense of his ability to change his situation by his own actions. It is this latter sense which explains the irony of the second part of the novel; he sees his departure on tour with Reine Roy as a radical break with the untenable situation at home, when in reality that situation is now part of his own psychology and therefore inescapable by any conscious action. Similarly, he believes that by returning to his family after the failure of *Le Petit Prince Mirka* he will be able to reconquer his ascendancy and respect. Instead, Jeanne's obsessive fixation on Christian has been reinforced by failure rather than diminished, and Vautier's redundancy is all the more keenly felt.

Once the initial decision has been taken, events take their own course, and there is nothing that Vautier can do to reverse them; that is his blindness and his tragedy. Not for nothing is the radio play which he performs with Guéretain called *L'Usurpateur*. Vautier has indeed been supplanted;

he has unwittingly given away his kingdom. For once in his life, and unwillingly, he is forced to play Lear.

Actors, mirrors and films

Reference has already been made to Troyat's consistent use in his fiction of the 1930s of stage and mirror imagery to convey, respectively, inauthenticity and narcissism. In this context, *Grandeur nature* represents the most extreme example. The novel goes further, however, in the way in which it does not merely use these references as metaphors, but allows them to generate the action and the construction of the narrative. The image of the actor is now centred upon the main character, Antoine Vautier, and upon his professional colleagues; the mirror is now not only the expression of his self-centredness, it is one of the principal tools of his trade and a determining factor in the way in which the narrative unfolds. Whereas analysis of these elements in other works by Troyat, therefore, would form only one part of a general discussion of the work, in *Grandeur nature* it takes the reader to the very centre of the novel.

Theatre imagery appears constantly in Troyat's early fiction. It is used in *Faux-Jour* to denote the inadaptability of the father to reality. In later works it takes on a less carefree connotation, pointing to the almost calculating inauthenticity of the characters. Even in the relatively late *Tant que la terre durera* cycle, through the portrayal of Tania's sister, the actress Lioubov, Troyat points to the inherent distance from moral reality found in the acting profession. The theatre troupe of which Lioubov is the star rises to prominence by performing patriotic sketches during the First World War and the last days of the Tsar, and then ensures its survival by taking a strongly pro-Soviet line after the October Revolution. In this novel, Troyat maintains his customary impartiality, but underlines nevertheless the divide which separates the world of the theatre from the world of responsibility.

In *Grandeur nature* the same point is made. The opening description of Vautier removing his make-up in his dressing-room emphasizes the contrast between the mask and 'la véritable figure de Vautier' [28]. Similarly, Troyat draws the reader's attention to the 'masque aux muscles parfaitement entraînés et dociles' [29] which can, artificially and with no emotional prerequisite, convey any state of mind. Vautier's manipulation of his voice is described in similar terms. Troyat refers to its 'lenteur calculée' [30], and comments: 'il jouait de sa voix avec la virtuosité abusive d'un tzigane jouant du violon' [31], a remark which underlines not merely the manipulation, but also the vulgarity involved. This image of the actor as separated from reality by a succession of artificial disguises is reinforced by the portrait of Guéretain, with his repetitive speech mannerism of 'Et hardi, donc!', and by the portrayal of the woman who is to become Vautier's mistress, Reine Roy. Not only is the name itself an absurdly obvious theatrical pseudonym, but the woman, despite her basic good nature, lives in an almost perpetual state of disguise. Troyat singles out her 'visage très fardé' [32], and one of her first utterances is: 'Qu'est-ce que tu penses de ma nouvelle couleur de cheveux?' [33].

As Troyat is to do later, in *Tant que la terre durera*, he creates around Vautier an artificial world apart, removed from reality, with its own rituals and customs, its own language, and an over-boisterous camaraderie which ultimately reveals itself to be meaningless. The problem is that, for Troyat, this world, of which Vautier is a member and a product, is essentially dangerous. The actor, as a result of living so long in this artificial world, comes to lose his own personality. He becomes, literally, a mask, capable only of gestures rather than real feeling. Vautier's drunkenly pompous exclamation: 'Un grand jour!', has more than a touch of the melodrama about it. In other words, the actor is in constant danger, outside the theatre, of speaking lines, playing a role, in a calculated attempt to wrest as much emotion as possible from the gallery. As such, he becomes the very image of egotistical inauthenticity. The ultimate problem for Vautier, however, is that the audience, his family, turns away, and he is left alone. And the compulsion to go on playing the role of protective father after Christian's failure is too strong to allow him to accept the reality of Reine Roy's affection for him. Vautier dominates his family through the unreal assumption of a role; he finds reality unpalatable in comparison, and when reality finally becomes unavoidable at the end of the novel, he is tempted to commit suicide.

The metaphor of the actor as image of self-consciousness and unreality is reinforced in the novel by the use of mirrors. Indeed, since the mirror serves two functions, that of reflecting the viewer and that of producing an image which is necessarily falsified, it serves as a link between narcissism and inauthenticity. It is highly significant that the first time the reader sees Vautier it is as a reflection in his dressing-room mirror; the ambiguous and tenuous relationship between him and reality is thereby established from the very first lines of the novel.

In one sense, Vautier's use of the mirror looks forward to that of Gérard Fonsèque, in *L'Araigne*: he is an ultimately lonely, self-enclosed figure, and the only real audience that in the end interests him is himself. When reacting to Guéretain's gloomy predictions of the ending of *Pitchounette*, his spoken 'lenteur calculée' is supported by Troyat's observation: 'Tout en parlant avec une lenteur calculée, il se lorgnait du coin de l'œil dans la glace' [34]. As the novel progresses, it becomes evident that the other characters serve merely to reflect Antoine's impact upon them. At the same time, as the title of the novel suggests, there is still a crucial difference between reality and a mirrored reflection of it. There is a certain irony that Troyat should write, describing Antoine removing his make-up: 'Dans la glace . . . *la véritable figure* de Vautier surgit enfin' [35], since, even with the disguise removed, there is still a barrier, that of the reflection, which separates us from the real Vautier. In this context, the problem of the novel is two-fold: Vautier's comfort and well-

being are only possible as long as other characters are prepared to reflect his every act and feeling; when they do not,
when the reflection breaks down, Vautier almost ceases to
possess a personality at all. If Vautier is happy to live in an
artificial world where he is infinitely reflected, he is doomed
when the mirror is removed and reality interposes itself.

At the same time that the use of the mirror in the novel
serves to emphasize Vautier's self-enclosedness and unreality, it dominates to a large extent the structure of the
narrative. The novel is in two parts, the latter of which
reflects and condenses much of what occurs in the former.
Thus, Vautier's abortive suicide attempt at the end of the
novel is announced early on in the first part, when Troyat
writes: 'Il enviait ceux qui n'ont ni femme ni enfant pour les
retenir de se jeter par la fenêtre' [36]. In the same way,
Vautier's initial return from work, from *Pitchounette*, is
accompanied by Christian's feigned illness, which looks forward to the boy's genuine illness when Vautier returns from
Provence. Other examples of duality in the novel include the
two plays in which Vautier performs, *Pitchounette* and *La
Petite chocolatière*, each one as inane as the other, the two
radio parts he is offered, *L'Usurpateur* in Part I and the series
at the end of Part II which so delights Jeanne because of its
financial implications, and the two films in which Christian
stars, with their two premières, *Jack* and *Le Petit Prince
Mirka*. In this context, it is interesting to note a further
procedure stemming from the mirror image: reflection not
only as repetition, but also as inversion. The success of *Jack*
is mirrored exactly by the failure of *Le Petit Prince Mirka*,
just as the Jeanne–Christian relationship is an inverted
reflection of the one between Jeanne and Vautier. Finally,
Vautier's relationship with Reine Roy (a name which is in
itself reflective and repetitive) is a replica of the relationship
with Jeanne, and for that reason is doomed to failure.

As critics have remarked of Beckett's *En attendant Godot*,
a play with only two acts can contain no sense of progression
and certainly no resolution of its problems. A novel with two

parts can fall into the same category: the mirror reflects infinitely. There is to be no escape for Vautier. Removed from the centre of his own world, he is condemned to exist for ever on its peripheries. Even ending that existence by suicide is impossible.

The final category of imagery which reinforces the unreality of the world in which Antoine Vautier lives concerns the cinema. The whole effect of film is that of *trompe-l'œil*: it creates the impression of reality from the most artificial of procedures. This is seen particularly clearly through the eyes of Jeanne, in her innocent amazement at her first visit to Despagnat's film-set. In this sequence, Troyat is careful to emphasize the artificiality of the studio, the cardboard set, the unreal atmosphere of the spot-lights, the disorientating effect of the equipment and the sheer size of the building. To this, he adds one of the most disconcerting aspects of film-making: the way in which individual scenes are shot totally out of sequence, and put into final order only at the stage of editing.

In this way, the cinema, which dominates so much of the action of the novel, becomes a powerful further image of departure from 'grandeur nature'. In addition, it pervades the actual writing of the novel. Certain sections, in contrast to the conventional narrative past tense, are written in the present, less for reasons of immediacy than in order to establish a film scenario style of writing within the novel itself. Thus, at the beginning of the second part, Troyat writes: 'La tournée. Le rideau se lève sur une salle chaude et noire . . .' [37], and continues the description of Vautier and Reine Roy in the present tense, concentrating on the visual aspects of the scene, until the end of the chapter. A further cinematographic device of which Troyat makes ample use is that of the 'cut' from chapter to chapter. In this device there is no logical, carefully prepared transition between chapters or scenes, but a process by which a state of mind is described at the end end of one chapter which leads abruptly to a factual scene at the beginning of the next. An example of this is

Vautier's first visit to Reine Roy. Antoine has returned home late, to the almost total indifference of Jeanne. Troyat continues:

> Il avait besoin d'affection chaleureuse, d'admiration exaltée . . . Une dévorante de tout cela qu'il avait perdu. Fuir ce vide, retrouver ces regards, ces gestes, ces mots qui le baignaient jadis, renaître. Auprès de qui? Dans le minuscule univers raté où tournait sa vie, quelle autre femme trouver?
>
> De grosses gouttes de pluie tapaient les vitres, maintenant. Il errait dans sa chambre, les bras ballants, la tête basse, attentif à marcher sur la pointe des pieds pour n'éveiller personne . . .

then, without transition, at the beginning of the next chapter:

> 'Antoine!'
> Reine Roy le regardait avec une stupeur ravie . . . [38].

Around the images connected with Vautier's profession, therefore, Troyat has constructed a pattern which serves two purposes: it conveys the danger and ambiguity of Vautier's situation and psychology, and it dominates and tightens the structure of the narrative itself. 'Grandeur nature' is the life-sized reality which Vautier consistently evades and which constitutes his deepest threat; it is also the narrative sleight-of-hand through which Troyat conducts his realism, and it is this final aspect which can only be effectively examined at the most detailed level, that of the writing itself.

The style of Grandeur nature

General remarks on an author's style are always difficult, particularly when divorced from the rest of the components that go to make up the narrative in its entirety. The wide significance of the dominant image patterns of mirrors, actors and films, extending into the themes and structures of *Grandeur nature* has already been explored. In the case of

Troyat, however, broad stylistic comments are rendered even more difficult by the unobtrusive nature of the language itself. Absent are the subtle, extended periods of Proust, the verbal poetic assault of Céline, the grand rhetoric of Malraux, the complex punning of Queneau or the stark, disconcerting manipulation of the *passé composé* in Camus's *L'Etranger*. What emerges from *Grandeur nature* is, rather, a considerable technical competence on Troyat's part, by which he is able to manipulate a number of different stylistic registers and make them serve his immediate purpose. In examining some of these registers, it is fruitful, rather than generalizing, to discuss certain specific examples: two kinds of description in the novel, and two uses of dialogue.

The first is what appears to be a passage of objective description: the end of the first showing of *Jack*:

> Une teinte bleue d'une pureté lavée, lacustre, lunaire, envahit l'écran, et le mot 'fin', lancé hors du vide, explosa en larges lettres blanches sur le champ de couleur.
>
> Aussitôt, les accords mugissants des orgues déferlèrent comme des vagues de fond, pour clore la présentation du film à la presse. Mais, la musique furieuse ne s'était pas apaisée que les applaudissements éclataient déjà. Ils partaient en rafales crépitantes et se mêlaient dans un rouleau formidable de tombereau [39].

The passage is a good example of the way in which Troyat's descriptions, though unobtrusive, are deceptively simple. The scene is carefully constructed, even orchestrated, to produce maximum effects, and makes powerful use of two sense perceptions, vision and sound: the white lettering on the blue background, and the mixture of the organ tones and the applause. To convey the formality and triumph of the scene, Troyat slows down the rhythm by the use of a string of precise adjectives: 'lavée, lacustre, lunaire'; or by the same precision contained in the imagery: the 'vagues de fond' of the organ notes, the 'roulement formidable de tombereau' of the applause. This precision and closeness of writing is contained in the careful choice of verbs, in the explosion of the letters: 'fin', the 'déferlement' of the organ music, the 'éclatement' of the applause. And this care in the choice of words points to a tension underneath the apparent simplicity. On one level, it is a realistic description of the triumphal reception of a film. On another, it contains an inner violence: the almost exaggerated contrast between the peace and purity of the blue background and the brutality of the explosion of the white letters; the difference between the majesty of the organ and the 'rafales' of the applause, followed by the sinister rumble of the tumbril. In other words, it may be Christian's triumph, but it is also Antoine's execution.

Another type of description of which Troyat makes copious use is that in which the narrator's omniscient recording of emotion infuses the factual statement of action. This technique is clearly illustrated at the end of the scene when Antoine announces his departure for a tour of the provinces.

> La lumière dansait devant ses yeux. Il craignit de ne pouvoir retenir ses larmes. Il se leva, tourna le commutateur, et, dans l'obscurité revenue, elle l'entendit qui sortait de la chambre, entrait dans la cuisine, ouvrait le robinet de l'évier, rinçait un verre, l'emplissait d'eau. Mais elle n'imaginait pas l'homme au visage terrible qui se penchait sur le verre et buvait à longs traits hoquetants [40].

The paragraph begins with an evocation of Antoine's state of mind: light dancing in front of his eyes, his fear of bursting into tears. It then continues with a series of banal, factual descriptions of his leaving the room and getting a glass of water. In this description, however, the tension is heightened by the way in which the details are perceived through Jeanne. Again, in a compressed piece of writing, Troyat has conveyed far more than is simply stated. The way in which Jeanne merely registers the sounds of the glass of water being filled, without being able to imagine the torment of her husband, is characteristic of her indifference to him after the success of Christian. At the same time, through the omniscient narrator, Troyat is able to establish a link of complicity and sympathy between Vautier and the one person who does understand him: the reader. It is the reader alone who can appreciate the full significance of the contrast between the long, low-key, matter-of-fact list of Vautier's actions and the sudden irruption of the 'visage terrible' and the 'traits hoquetants' which close the chapter. In this way, the passage serves as a good indication of Troyat's ability to manipulate the narrative point of view. In *Grandeur nature*, Troyat conforms to his precept, stated in *Sainte Russie*, of narrative impartiality – impartiality, however, which does not imply merely continuous objectivity. Troyat's technique consists rather of placing narrative sympathy and credibility behind the character who is the most prominent at any one time. The reader's sympathies are therefore enlisted for Jeanne against her husband during the initial discussion on Christian's entry into a film career, for Christian against Vautier when he ignores the latter's advice during the screen test with Despagnat, and finally they revert to Vautier as the narrator concentrates upon his growing isolation and redundancy.

In his construction of dialogue, Troyat exhibits an equal subtlety, employing and mixing a range of speech characteristics. And, since the theatre and cinema constitute the very matter of the novel, the dialogue assumes an even greater importance. In particular, Troyat plays upon the two sides of Vautier himself, the self-consciously theatrical and the authentically emotional, purely in terms of the way in which he expresses himself. At the beginning of the novel, in his conversation with Guéretain (whose persistent 'Et hardi, donc!' is a useful device for identifying a recurring minor character), he is at his most pompous:

– C'est un grand malheur, dit Vautier. Certes, je ne tenais pas à ce rôle de pitre, mais cet emploi me donnait une certaine tranquillité matérielle, un certain repos moral que j'appréciais malgré moi, tu comprends? [41].

This is far removed from conventional spoken language: it is what it appears, a theatrical speech. Its formality is conveyed by the careful balance of terms, 'tranquillité matérielle' followed by 'repos moral', by the slowness of the rhythm, and by the phraseology itself. In spoken French it would be rare to use 'C'est un grand malheur', 'Certes', 'pitre', 'j'appréciais malgré moi' and 'tu *me* comprends' (instead of the normal spoken 'tu comprends'). The studied nature of this language is underlined immediately by its contrast with Vautier's spontaneous reaction when Guéretain suggests leaving. 'Tu n'y penses pas! Si nous sortons tout de suite, nous tomberons sur la petite Roy qui me guette derrière la porte de sa loge. Elle est collante comme toutes les seccotines, cette fille-là!' [42].

When Troyat wishes to express genuine emotion through his dialogue, however, he works differently. When Vautier is desperately striving to convince Delbec that he should go on the tour, he ends up by shouting:

> Je n'ai pas un grand nom, c'est entendu . . . mais mon fils . . . mon fils . . . le petit Christian Vautier . . . c'est quelqu'un! . . . ça pourrait vous amener du monde d'afficher le père du petit Vautier à la distribution! . . . Non? . . . J'imagine très bien les placards: le titre de la pièce . . . la distribution . . . et, au-dessus de mon nom . . . en lettres plus importantes même que mon nom: 'Le père du petit Vautier' . . . 'Antoine Vautier . . . le père du petit Vautier' . . . simplement! Mais en caractères bien gras! . . . pour que ça frappe! . . . pour que ça gueule! . . . [43].

What Troyat is attempting to convey here is not merely Vautier's desperate wish to accompany Reine Roy on Delbec's tour, but the pain and the humiliation he is inflicting on himself in the process. The emotion is expressed in three ways. Firstly, in the significant repetition of 'mon fils . . . mon fils', which denotes almost uncontrollable hesitation, and then of 'le père du petit Vautier', which conveys the compulsion to convince. Secondly, the major device of emotion in the language is that of the three dots separating the phrases or individual words which convey the halting, exclamatory tone of the speech. Finally, by a twist of irony, Troyat makes the use of 'pour que ça frappe!' and 'pour que ça gueule!' ambiguous, going far beyond the imaginary poster which Vautier envisages, and finally directed against himself. It is he who is being struck and it is he, in his speech, who is yelling out in his pain.

The complexities and ambiguities which operate on the level of Antoine's position in the world of the theatre and in his family, and on that of the imagery of actors and mirrors, are continued, therefore, in the manipulation of the language of the novel itself, through the use of different stylistic effects. Unobtrusively, Troyat has woven a complex and consistent web of meaning.

Critics such as J. S. Wood do Troyat a disservice when they make exaggerated claims for his literary status. It is meaningless and unhelpful to compare his fiction of the 1930s with Malraux's *La Condition humaine* and *L'Espoir,* or with Céline's *Voyage au bout de la nuit* and *Mort à crédit.* The preoccupations are different, more modest and more limited; the range of narrative is more restricted. At the same time, in his own chosen field, that of the short, realist psychological novel, Troyat is able to create complex and moving works of art. *Grandeur nature*, with the various meanings of its title, with its tight, well-ordered narrative, brings home in the most effective way possible the tawdry tragedy of a pretentious, inadequate man who unconsciously brings his world down about his ears and is forced to recognize the futility of his own life and the impossibility of his own death. There are not many better evocations of domestic limbo.

Notes to the Introduction

1 Gilbert Ganne, *Messieurs les best-sellers*, Paris: Librairie Académique Perrin, 1966.

2 Pierre de Boisdeffre, *Une Histoire vivante de la littérature d'aujourd'hui, 1939–1961*, Paris: Perrin, 1962, pp. 266–7. R.-M. Albérès, *Le Roman d'aujourd'hui, 1960–1970*, Paris: Albin Michel, 1970, pp. 9–15.

3 Henri Troyat, *Sainte Russie. Souvenirs et réflexions*, Paris: Editions Grasset, 1956, p. 39.

4 On Troyat's debt to Flaubert and Mauriac, see J. S. Wood, Introduction to *La Tête sur les épaules*, London: London University Press, 1961, p. 12.

5 Henri Troyat, *Faux-Jour*, Paris: Plon, 1935 (quote from Fayard edition, p. 159).

6 Troyat is here building on a well-established literary model, particularly prevalent in nineteenth-century English literature, with Mr Micawber in Dickens's *David Copperfield* and H. G. Wells's George Ponderevo in *Tono-Bungay*.

7 Henri Troyat, *L'Araigne*, Paris: Livre de poche, p. 240. This distrust of the intellectual is a constant trait in Troyat's fiction.

8 R.-M. Albérès, op. cit., p. 10.

9 Henri Troyat, *Sainte Russie*, p. 19.

10 W. D. Howarth, Introduction to *La Neige en deuil*, London: Harrap, 1954, p. 9.

11 Henri Troyat, *Grandeur nature*, p. 6.

12 ibid., p. 5.

13 ibid., p. 7.

14 ibid., p. 107.

15 ibid., p. 32.

16 ibid., p. 63.

17 ibid., p. 7.

18 A project which was realized both in the theatre and the cinema during the *Front Populaire*.

19 *Grandeur nature*, p. 7.

20 ibid., pp. 16–19.

21 ibid., p. 6.

22 ibid., p. 26.

23 ibid., pp. 184–5.

24 ibid., p. 19.

25 ibid., p. 39.

26 Jules Vallès' *Jacques Vingtras* trilogy, 1881–6, is a case in point.
27 *Grandeur nature*, p. 73.
28 ibid., p. 5.
29 ibid., p. 5.
30 ibid., p. 11.
31 ibid., p. 11.
32 ibid., p. 12.
33 ibid., p. 13.
34 ibid., p. 11.
35 ibid., p. 5.
36 ibid., p. 36.
37 ibid., p. 125.
38 ibid., pp. 108–9.
39 ibid., p. 67.
40 ibid., p. 118.
41 ibid., p. 11.
42 ibid., p. 11.
43 ibid., p. 121.

BIBLIOGRAPHY

Troyat's work now spans almost half a century, and for reasons of economy the bibliography given here is necessarily selective. Whilst publications from the whole period of Troyat's career have been included, the bibliography concentrates on those works most useful for a study of *Grandeur nature*.

1. Works by Henri Troyat

i) *Short fiction*

Faux-Jour, Paris: Plon, 1935 (*Prix Populiste*, 1935).
Le Vivier, Paris: Plon, 1935.
Grandeur nature, Paris: Plon, 1936.
L'Araigne, Paris: Plon, 1938 (*Prix Goncourt*, 1938).
Judith Madrier, Paris: Plon, 1940.
Le Mort saisit le vif, Paris: Plon, 1942.
Le Signe du taureau, Paris: Plon, 1945.
La Tête sur les épaules, Paris: Plon, 1951.
La Neige en deuil, Paris: Flammarion, 1952.

ii) *Short stories and novellas*

La Clef de voûte (including *Monsieur Citrine*), Paris: Plon, 1937.
La Fosse commune, Paris: Plon, 1939.
Le Jugement de Dieu (including *Le Puy Saint-Clair* and *Le Merveilleux voyage de Jacques Mazeyrat*), Paris: Plon, 1941.
Du Philanthrope à la Rouquine, Paris: Flammarion, 1945.

Le Geste d'Eve, Paris: Flammarion, 1964.
Les Ailes du Diable, Paris: Flammarion, 1966.

iii) *Novel-cycles*

Tant que la terre durera
   i) *Tant que la terre durera*, Paris: La Table Ronde, 1947.
  ii) *Le Sac et la cendre*, Paris: La Table Ronde, 1948.
 iii) *Etrangers sur la terre*, Paris: La Table Ronde, 1949.

Les Semailles et les Moissons
   i) *Les Semailles et les moissons*, Paris: Plon, 1953.
  ii) *Amélie*, Paris: Plon, 1955.
 iii) *La Grive*, Paris: Plon, 1956.
  iv) *Tendre et violente Elizabeth*, Paris: Plon, 1957.
   v) *La Rencontre*, Paris: Plon, 1958.

iv) *Biographies*

Dostoievsky, Paris: Fayard, 1940.
Pouchkine, Paris: Albin Michel, 1946.
L'Etrange destin de Lermontov, Paris: Plon, 1952.
Tolstoï, Paris: Fayard, 1965.
Gogol, Paris: Flammarion, 1971.

v) *Miscellaneous*

Les Ponts de Paris, Paris: Flammarion, 1946.
Les Vivants (three-act play), Paris: Bonne, 1946.
La Case de l'oncle Sam (travel book), Paris: La Table Ronde, 1948.
Sébastien (three-act play), Paris: Opéra, 1949.
De Gratte-ciel en cocotier, à travers l'Amérique indienne (travel book), Paris: Plon, 1955.
La Maison des bêtes heureuses, Paris: Bias, 1956.
Sainte Russie. Souvenirs et réflexions, Paris: Grasset, 1956.
La Vie quotidienne en Russie au temps des derniers Tsars, Paris: Hachette, 1959.
Discours de réception de M. Henri Troyat à l'académie française et réponse de M. le maréchal Juin, Paris, 1960.

2. Critical works

Since there is no full-length study of Troyat, and remarkably little serious academic consideration, this section has been kept to a small number of works which the editor found useful.

R.-M. Albérès, *Le Roman d'aujourd'hui, 1960–1970*, Paris: Albin Michel, 1970.

Pierre de Boisdeffre, *Une Histoire vivante de la littérature d'aujourd'hui, 1939–1961*, Paris: Perrin, 1962.

Gilbert Ganne, *Messieurs les best-sellers*, Paris: Librairie Académique Perrin, 1966.

W. D. Howarth, Introduction and notes to *La Neige en deuil*, London: Harrap, 1954.

J. S. Wood, Introduction and Notes to *La Tête sur les épaules*, London: London University Press, 1962.

GRANDEUR NATURE

PREMIÈRE PARTIE

Antoine Vautier porta ses deux mains aux tempes et, d'une lente pression, fit basculer le crâne de carton peint qui lui coiffait la tête. Une chevelure d'un roux huileux de limace apparut aux lumières, jurant avec la barbiche grise et le crayonnage* serré des rides sur la peau. Aussitôt, il arracha l'impériale* à crins secs dont le vernis lui brûlait le menton et tordit son nez à pleins doigts, jusqu'à lui ravir l'appendice de mastic rose qui le prolongeait. Puis, il se frotta le visage avec un linge enduit de vaseline et ce fut un délayage bistre de pattes d'oie, de poches sous les yeux, de plis sur le front, une déroute facile de tous les signes convenus de la vieillesse, un rajeunissement crasseux et graisseux.

Dans la glace, cloutée de chiures de mouches et pommelée d'empreintes de blanc gras, la véritable figure de Vautier surgit enfin, avec ses joues de pâtisserie retombée, ses fortes narines aux pores distendus par le fard et ses petits yeux rougeâtres de lapin. Il se contempla gravement, tournant la tête à droite, à gauche, soupesant du poignet la courbe relâchée du cou, avançant la mâchoire, qui se détacha de la face comme un tiroir qu'on ouvre, ramassant les sourcils au-dessus d'un regard de feu. Il s'enorgueillissait d'un masque aux muscles parfaitement entraînés et dociles. Son père, un mime de talent certain mais de renommée nulle, l'avait soumis

dès son jeune âge à cette gymnastique faciale. Il se souvenait de ce vieillard gris et vif, penché sur son épaule,
devant un petit miroir à bascule encadré de bambou, et
criant, d'une voix pointue d'oiseau migrateur :*

— Tu ne partiras pas tant que tu ne sauras pas
relever ton sourcil gauche sans remuer le droit ! Regarde
comme je fais : tic... tac... L'étonnement amusé ? L'observation espiègle ? L'invite galante ?... tic... tac...

Le sourcil gauche se décollait de l'arcade sourcilière
pour se hisser jusqu'à mi-front et retombait mollement à
sa position primitive.

— A toi !

L'enfant grimaçait, reniflait ses larmes à gros bouil-
lons, suppliait qu'il interrompît l'exercice. Mais l'autre
secouait sa dure petite tête crayeuse :

— Veux-tu, oui ou non, devenir acteur ?

— Oui, bafouillait le gamin.

— Alors, il faut travailler ferme. Car il n'y a pas de
succès sans travail, comme il n'y a pas de travail sans
succès !

Antoine Vautier avait travaillé ferme, mais il attendait encore le succès. Un accessit au Conservatoire,*
trois années d'Odéon,* un chapelet de rôles secondaires
dans des théâtres de quartier, des tournées hâtives, des
silhouettes* mal payées au cinéma, des saynètes* à la
radio... Au cours d'un bénéfice* en banlieue, il avait
rencontré une jeune fille dont l'admiration plus que la
beauté l'avait séduit. Il l'épousa, se fixa à Paris, eut un
enfant l'année même de son mariage, vécut quelques mois
sur la maigre dot de sa femme et reprit son métier, mais
en évitant de quitter la capitale. De nouveau, il battit les
agences, remplaça des camarades à Bois-Colombes, à
Belleville,* figura au Châtelet,* décrocha une doublure
importante aux Variétés, chanta des opérettes, se four-
voya dans des music-halls, tourna des films publicitaires

de court métrage pour vanter l'excellence de la levure
« Zita » ou des fourneaux à gaz « Vulcano »...

A quarante ans, il s'étonnait encore qu'on lui réservât
des rôles comiques, bien que sa voix, ses gestes, son
physique, son tempérament le prédestinassent à la tra-
gédie. Cet aveuglement des directeurs et des impresarios
retardait seul, pensait-il, une consécration imminente ;
et sa misère seule le détournait de refuser des emplois
qu'il jugeait indignes de lui. Mais il ne désespérait pas
d'obtenir un jour l'interprétation rêvée qui le classerait
enfin parmi les plus grands. Cette idée excusait les
courses abruties à l'engagement, les attentes déçues, les
pauvres besognes acceptées.

— Des hors-d'œuvre tout ça ! des hors-d'œuvre !
disait-il.

C'était un hors-d'œuvre encore que ce personnage de
larbin qu'il jouait dans *Pitchounette et son Pompier* à
l'Eden-Palace. Un rôle de tout repos : il n'arrivait qu'à
dix heures et finissait une demi-heure avant les autres...

Un sonore éboulement de vaisselle coupa ses réflexions.
A travers les cloisons minces des loges et des couloirs,
parvenaient les rires, les applaudissements mesurés de
la salle. Au second éboulement de vaisselle,* il serait onze
heures quarante. Puis, la fanfare des pompiers clôtu-
rerait le vaudeville.* Une chance qu'on ne le forçât pas à
remonter saluer avec les autres !

Il dégrafa le col de sa chemise empesée et marquée de
maquillage, déboutonna son gilet rayé d'orange et de
brun, glissa une main dans la ceinture de son pantalon
trop étroit pour le décoller de son ventre. Il faisait
chaud dans cette turne* sans fenêtre, aux murs de plâtre gris, où de vieilles affiches étaient placardées. La
lampe, fichée au-dessus du miroir, versait une lumière
livide sur la tablette encombrée de linges souillés, de
boîtes à poudre éventrées et farineuses, de bâtons de

fard rognés, de pots de vaseline tournée au jaune verdâtre de pétrole. Une odeur d'eau savonneuse, de brillantine sucrée, de crème moisie, de poussière, de pouacre, prenait la gorge comme une fumée.

Il s'approcha du tabouret de paille qui supportait une cuvette et un broc, se mouilla la face, la nuque, les cheveux. Puis, il sortit une bouteille thermos et se versa dans le gobelet-couvercle trois doigts de lait chaud coupé d'eau de Vichy. Il but ce liquide à rares lampées, le menton haut, les paupières closes, avec l'expression pénétrée d'un communiant.

— Un, deux, trois, quatre, comptait-il entre chaque rasade.

Et il suivait en esprit la descente attiédie du breuvage dans son gosier. Il s'inquiétait d'une inflammation possible du larynx, d'une irritation pressentie de la glotte, d'un commencement d'embarras nasal. Car, à l'opposé de son père, il accordait à sa voix autant de soins qu'à son visage. Il appréciait toutes les ressources de son organe et connaissait mille moyens d'en combattre les défaillances. Ses poches étaient toujours garnies de bonbons au plantin ou à la réglisse ; il recommandait à sa femme de lui préparer pour son retour des tisanes et des inhalations à l'eucalyptus ;* et même, il savait certaine façon de respirer et de prononcer des voyelles qui soulageait une gorge grippée :

— E... é... « ma mèreu Jezabel » ! « ma mèreu Jezabel ! »...

Le second éboulement de vaisselle fit tressaillir le plafond, et une musique de trompettes et de tambours couvrit la rumeur marine* de la foule.

— Un rappel... deux rappels, compta Vautier, c'est maigre...

Déjà, une cavalcade pesante ébranlait l'escalier de fer, derrière la paroi. La porte s'ouvrit à la volée et Gué-

retain parut sur le seuil. Il était vêtu d'une redingote
verdâtre, coiffé d'un melon cabossé* qui lui cornait les
oreilles, et il portait sur l'épaule un sac de marchand
d'habits.

Il s'assit devant une table disposée à l'autre bout de
la loge, près d'une penderie drapée de vieilles couvertures
de cheval. Le souffle court, les yeux flambés de fièvre, il
se reluquait dans la glace et se curait le nez sauvagement.
Il grogna :

— Kelber vient de me foutre une amende parce que
je m'étais démaquillé avant le cinq !* Demain, je me
crépis la gueule au blanc gras et je me colle des cils de
femme-panthère ! Tu te rends compte : pour trois
répliques qu'on m'a laissées, il voudrait que je me fasse
une bouille à la Chaliapine !* Il travaille de la boîte à
cornes,* le frère !*

Il essuya son doigt contre le barreau de la chaise et
fourragea dans sa poche :

— Tiens, voilà ce qu'il m'a donné pour me consoler !

Il jeta sur la table une liasse de billets de faveur.
Vautier en prit un, le parcourut, le roula en boule.
Guéretain ricanait en se déshabillant :

— Les premiers billets de faveur ! Ils annoncent le
four* aussi certainement que l'hirondelle annonce le
printemps ! Dans six jours au plus *Pitchounette* quittera
l'affiche ! D'ici là, gare aux amendes !* Ça réduit les frais
et ça fait sérieux !

— Je ne suis pas aussi pessimiste que toi, dit Vautier.
On a vu des pièces se relever après une distribution de
faveurs et même de taxes...

— S'il n'y avait que les faveurs ou les taxes !... Mais
il y a mille autres signes à l'avenant, mon petit vieux ! Le
directeur est introuvable... le public joue aux quatre
coins dans la salle... Kelber se plaint de son foie et
prend des airs d'agonisant inspiré et paternel... traduc-

tion : il n'y a plus un rond dans la tirelire ! Mais ça ne se passera pas comme ça !...

Il se tenait au centre de la pièce, petit, maigre, le torse nu, les jambes enfournées dans un caleçon long à rayures, et vociférait, en frappant du poing sa creuse poitrine étoilée d'un friselis de poils blonds :

— Ça ne se passera pas comme ça ! S'ils ne me payent pas... s'ils ne nous payent pas... le prud'homme !... l'huissier !... la correctionnelle !*... et hardi donc...

Il s'interrompit pour enfiler sa chemise dans une gesticulation de sémaphore en folie. Mais, lorsque sa tête surgit hors de l'encolure et ses mains hors des manches, il reprit d'une voix sifflante :

— J'oubliais le plus drôle ! Figure-toi qu'en me remettant les faveurs, cette vieille ganache* a voulu me rassurer, m'expliquer : « Les quittances de loyer... les quittances de loyer... les gens se restreignent... » A l'entendre, pendant les six dernières semaines d'un trimestre les gens ne viennent pas au théâtre parce qu'ils ramassent de l'argent pour payer leur terme, et pendant les six premières semaines du trimestre suivant ils ne viennent pas au théâtre parce qu'ils n'ont plus d'argent après l'avoir payé ! C'est à se taper le derrière par terre jusqu'à la syncope !

Et, de fait, il se laissa tomber de tout son poids sur un petit siège à ras du sol et rama des doigts sous la table à la recherche de ses chaussures égarées.

Vautier avait troqué sa livrée de larbin contre un costume de ville,* sombre, à cravate de lacet noir, à col bas et lâche. (Rien n'est mauvais comme de comprimer son cou après un effort vocal !) Haut de taille, gras d'épaules et de hanches, la face lourde et rose de fard mal essuyé, il se tenait debout contre le mur et méditait tragiquement, un pied posé sur le croisillon de la chaise comme sur un crâne.*

— Que comptes-tu faire ? dit-il enfin.

— Moi ! s'exclama Guéretain. Demain, ouverture de la chasse ! Je me remets à écumer les agences,* à la cueillette d'une figuration,* d'une tournée... S'il fallait attendre d'être balayé pour chercher un nouveau travail, on mangerait pendant deux semaines par mois et pendant les deux autres semaines on sucerait ses dents ! et hardi donc !

— C'est un grand malheur, dit Vautier. Certes, je ne tenais pas à ce rôle de pitre, mais cet emploi me donnait une certaine tranquillité matérielle, un certain repos moral que j'appréciais malgré moi, tu me comprends ?

Tout en parlant avec une lenteur calculée, il se lorgnait du coin de l'œil dans la glace.

— Tu me comprends ?

Il jouait de sa voix avec la virtuosité abusive d'un tzigane jouant du violon. Il enveloppait ses phrases d'une musique souterraine ou légère, passait d'un registre à l'autre, variait les intonations, désarticulait certains mots en syllabes, en notes, qu'il laissait tomber comme des cailloux dans l'eau, faisait du charme.

Cependant, insensible à ces modulations savantes, Guéretain s'habillait, se chaussait, se coiffait, en fredonnant un vague air de danse du scalp. Enfin, il interrompit Vautier, sans ménagement pour son bel élan oratoire :

— Viens, sortons !

Vautier l'arrêta par le bras :

— Tu n'y penses pas ! Si nous sortons tout de suite, nous tomberons sur la petite Roy qui me guette derrière la porte de sa loge. Elle est collante comme toutes les seccotines,* cette fille-là ! Elle devrait comprendre...

— C'est toi qui devrais comprendre ! T'en as déjà vu des comme ça, des qui ont tout ce qu'il faut et rien de ce qu'il ne faut pas ? Non, il faut dire la vérité : tu n'aimes pas taquiner la fesse...* Tu es sérieux... C'est très bien...

Mais c'est dommage... Moi, cette poupée-là, à ta place, je lui ferais une petite farce, histoire de passer le temps ! Et hardi donc !

Et il cligna de l'œil avec une grimace paillarde qui lui plissait la face comme un fruit sec. Vautier éclata d'un long rire triste et séduisant :

— Pourquoi n'essaierais-tu pas ?*

— Parce que je sens que ça t'embêterait !

— Ça me rendrait service, veux-tu dire !

— ... et puis... je vais t'expliquer... j'ai déjà essayé et ça n'a pas donné...

— Raison de plus pour recommencer !

Guéretain, perplexe, se grattait la nuque à pleins ongles :

— Tu crois ?

— J'en suis sûr !

— Dans ce cas...

Il s'approcha de la glace, lissa de la main ses cheveux rares, d'un blond verdâtre de fiente séchée, plaqua trois coups de houppette* sur son nez, sur ses joues et modela le nœud de sa cravate. Puis, il se redressa :

— Maintenant, je suis paré, dit-il. Allons voir la tigresse...

Ils suivirent un couloir étroit, bardé de tuyaux de chauffage. Les loges des artistes ouvraient sur le boyau, où le voisinage des latrines maintenait une atroce odeur de chou. Comme ils arrivaient devant la porte de Reine Roy, le battant vola contre le mur et une petite bonne femme parut sur le seuil, chapeautée, pomponnée,* un minuscule sac étincelant de cuir neuf et de nickel serré à deux pattes contre son ventre comme un perchoir. Elle s'exclama trop vite et trop fort :

— Chouette ! Vous sortez aussi ?

Elle avait un visage très fardé au nez en trompette, au menton fauché, à la lèvre supérieure avancée comme une lèvre de nourrisson, et de beaux yeux brouillés de noir et d'orange.

Elle s'empara du bras de Vautier et le coinça d'autorité sous son aisselle. Mais Guéretain la saisit par le coude resté libre, et elle pouffa d'un rire aigrelet, les épaules frétillantes, la bouche grande ouverte, soufflant aux deux faces tournées vers elle une fraîche haleine de bonbon à la menthe :

— Comment que vous voulez marcher de front dans un couloir étroit comme un ascenseur ?...

— Pourquoi pas ? En se serrant... en se serrant un peu, chuchotait Guéretain d'une voix étranglée.

Elle eut un cri vigoureux de jeune canard :

— Il m'écrase !

et s'esclaffa de nouveau, la tête ballottée d'une épaule à l'autre :

— On peut dire que c'est le jour ! Il y a Kelber qu'a déjà essayé de me peloter dans ma loge ! Comment que je te l'ai remis à sa place, ce vieux macaque,* avec ses jambes en parenthèses et son ventre de Bibendum !* « Pour qui me prenez-vous ! Chasse gardée ! Y a donc pas de glace chez vous ! » Tout le rouleau quoi ! Il était tellement soufflé qu'il m'a donné des billets de faveur pour s'excuser !...

— Il nous en a donné aussi, dit Guéretain, et pourtant il n'avait pas à s'excuser de nous avoir pelotés ! Ah ! si je ne me retenais pas !...

Et, pour se retenir, il s'accola furieusement à la hanche de la petite et renifla la maigre fourrure jaune jetée sur ses épaules.

Comme ils gagnaient la rue, la jeune femme dressa le visage vers Vautier.

— Qu'est-ce que tu penses de ma nouvelle couleur de cheveux ? dit-elle.

Et elle tira une mèche carotte hors de son chapeau.

— C'est Malou qui m'a conseillé de me teindre en roux. Elle dit qu'une peau fine et blanche comme la mienne ça appelle le roux ; et puis que je sens comme les rousses quand j'ai chaud ! Où a-t-elle été chercher ça ! Tu trouves, toi, que je sens comme les rousses quand j'ai chaud ? Il paraît que c'est excitant !... J'ai demandé un roux dans le genre du tien, mais ils n'ont pas su le faire. Ç'aurait été gentil pourtant, dis, qu'on soit tous les deux de la même couleur ! D'ailleurs, tu sais, c'est un simple rinçage au « Luminex ».* c'est pas une décoloration : alors, le jour où on en a assez, une, deux, et hop ! je redeviens brune ! Je te plais en rousse ?

Elle le regardait, le nez froncé, le regard coulé de biais entre les paupières clignées.

— Non.

— Tu m'aimais mieux brune ?

— Non.

— Bref, tu t'en fous ? T'as tort...

Il eut l'imprudence de dire :

— Pourquoi ?

Elle émit un petit rire de gorge, roucoulé, soyeux, et, se dégageant de l'emprise de Guéretain, capta la main d'Antoine entre ses deux paumes :

— Pour rien... pour rien... Mais t'es bête, mon grand chou...

Guéretain marchait sombrement, les poings enfouis dans les poches, le regard fatal.

— Tu devrais m'accompagner jusqu'à la maison, pépiait-elle. Hier soir, deux types m'ont accostée...

— Te donne pas la peine, gronda Guéretain. Si t'as envie de te mélanger avec lui t'as qu'à le dire tout cru ! Et hardi donc !

Et il cracha par terre avec un détachement seigneurial.

Antoine interrompit leur dispute de sa grave voix d'orgues :*

— Impossible de te ramener aujourd'hui, mon petit... Je rentre à pied : je dois passer dans un bistrot pour... pour régler mes dettes... Mais Guéretain...

Elle eut une moue boudeuse, les lèvres tendues comme pour un suçon, les sourcils en virgule :

— Méchant !

— Lui ? s'écria Guéretain, soudain rendu à l'espoir. Allons donc ! il ne ferait pas de mal à un train de marchandises !

Arrivés devant la bouche du métro, ils se séparèrent. Reine Roy et Guéretain pénétrèrent dans la station et Vautier fit mine de s'éloigner. Mais, au bout de dix minutes, estimant qu'une rame avait emporté le couple, il revint sur ses pas et descendit à son tour le raide escalier de pierre.

Il y avait une masse échevelée de tabac sur la table. Elle en cueillait une pincée, la secouait pour en détacher les brindilles folles et la couchait sur le carré de papier fin qu'elle tenait incurvé en gouttière entre deux doigts de sa main gauche. Puis, elle tassait de l'ongle la mousse blonde à odeur d'épices et de foin séché, touchait d'un pinceau trempé d'eau les bords libres de la feuille, les raccordait l'un à l'autre et coupait aux ciseaux les filaments qui pendaient par les extrémités.* Enfin, elle posait la cigarette achevée dans un étui à savon désaffecté où Vautier rangeait sa réserve. Car, bien qu'il s'imposât des privations sévères pour protéger le timbre de sa voix, il n'avait jamais pu renoncer à fumer, ni même diminuer sa dose quotidienne ; simplement, il affirmait avoir découvert un mélange dénicotinisé qui rendait illusoires les risques de tabagie.*

Chaque soir, elle travaillait ainsi, en attendant que son mari revînt du théâtre. La lampe, juponnée de journaux roussis et pendue au bout d'un long fil à contrepoids de porcelaine, éclairait mal la chambre autour d'elle. Une chambre basse de plafond, aux parois tendues d'un papier jaune, assez semblable au papier d'emballage ou de boucherie, et pauvrement meublée. Un sommier court sur pattes, dont la couverture rejetée en biais dévoilait les draps raccommodés et grisâtres, trois chaises à siège de bois perforé, la table encombrée de tabac, de paperasses dactylographiées, de livres, et, de part et d'autre d'une fenêtre privée de rideaux, mais surmontée d'une tringle monumentale en cuivre fileté, deux étagères aux rayons nus. Par terre, s'alignaient des piles de journaux ceinturées de ficelles, des monceaux de vieux programmes effeuillés, des caisses de biscuits pleines de tubes déchiquetés, de petites bouteilles de blanc liquide débouchées, de raclures de bâton Leichner.* Et des moutons de poussière bordaient ces épaves héroïques. Quelques photos de Vautier dans ses derniers rôles étaient fixées aux murs par des épingles à tête de sabot de Noël ou de minuscule cocarde : masques raturés de rides, barbus, moustachus, imberbes, crânes lunaires, ou chevelures de tempête, regards fauves ou éblouis de mélancolie...* Mais, au port du cou, à la masse du visage, on le reconnaissait. Il y avait encore des photos et des dessins glissés dans la rainure du miroir qui dominait la cheminée. Et, dans l'âtre découvert, trônait un inhalateur en forme de porte-voix renversé.

Cependant, de ce désordre il ne faudrait pas conclure que Jeanne Vautier fût une ménagère négligente. Bien au contraire, elle apportait aux soins de la maison une frénésie louable. Dès le saut du lit, elle balayait, lavait, essuyait, essorait avec une joie saine de laboureur retournant ses terres. La chambre du petit, la cuisine, la salle de bains, les cabinets, formaient le théâtre de ses exploits domestiques.* Mais son mari s'opposait à ce qu'elle nettoyât sa chambre plus d'une fois par semaine, et encore fallait-il qu'elle le fît en sa présence. Et elle admettait cette exception avec un amusement admiratif et scandalisé. Cette pièce était pour elle le laboratoire mystérieux où s'étudiaient les textes, où se composaient les interprétations futures, où marinaient les vastes idées d'un esprit supérieur, l'asile du penseur, le fief du génie, un lieu sacré.* Qu'y avait-il d'étonnant à ce qu'elle échappât aux règles communes d'ordre et de propreté ? D'ailleurs, elle aimait cet îlot poudreux qui la narguait au centre d'un appartement soumis à sa domination hygiénique. Elle éprouvait un plaisir certain à·s'asseoir sous la lampe, face aux montagnes de journaux, aux photographies, aux cendriers débordant de cendres, comme si de s'enfermer quotidiennement entre ces quatre murs l'eût rapprochée d'Antoine.

Elle roula une dernière cigarette et la jeta dans l'étui à savon. Le couvert d'Antoine était mis au bord de la table, parmi les paperasses repoussées. Elle rectifia l'emplacement du verre, du couteau, souffla sur l'assiette pour chasser quelques brindilles de tabac, sortit du tiroir de la table une boîte de cachets, un minuscule flacon de gouttes calmantes et le dernier numéro de *Comœdia*.* Puis, elle se leva pour regarder l'heure au réveille-matin de la cheminée : onze heures et demie. Antoine n'allait pas tarder à venir. A moins que Guéretain ne l'entraînât dans un café, ou qu'il n'accompagnât cette Reine Roy dont il lui parlait souvent pour la taquiner.

Elle vit dans le miroir* un visage aux lourdes joues blanches, aux bandeaux châtains, tirés et luisants comme des pièces de soie, aux yeux gris d'ardoise, mais les sourcils étaient joints et les lèvres ramassées en ligne mince. Elle rit doucement à cette face inquiète qu'elle ne reconnaissait pas. Ensuite, à pas de loup, elle s'approcha de la porte, poussa le battant qui s'ouvrit dans un bâillement aigu.

Au fond de la pièce obscure, seuls vivaient les chiffres phosphorescents d'une montre, piqués en cercle dans la nuit. Un battement métallique, pur et surveillé, doublait le jeu d'une respiration dormeuse. Elle discerna bientôt le reflet salin de la glace, la bouée pâle du linge amarrée au dossier de la chaise, l'étoilement des boules de cuivre qui dominaient le lit.

Comme elle avançait toujours, ses genoux heurtèrent le bord de la couche. Elle se pencha et reçut au visage une haleine courte et chaude de jeune animal. Mais elle se retint de baiser cette peau cachée dont elle éprouvait le rayonnement. Elle se redressa, détourna la tête. Déjà elle s'éloignait, lorsqu'une voix demanda dans l'ombre :

— Papa est rentré ?

— Il ne va pas tarder, mon petit. Lève-toi, si tu veux le voir.

Elle était revenue sur ses pas et caressait de la paume les cheveux glissants, le cou tiède autour des oreilles et brûlant dans l'échancrure large du pyjama. Elle dit :

— Tu dois étouffer sous toutes ces couvertures, Christian.

Il grogna :

— Non, parce qu'elles sont mal bordées...

Et il ajouta :

— D'ailleurs je ne me sens pas bien...

Elle réprima un cri :

— Qu'as-tu ?

Vite, sa main tâtonna le marbre froid d'une table de nuit, heurta un verre, atteignit le commutateur de la lampe. Une lumière citron tomba sur le visage couché de profil et dont les paupières clignaient. L'oreiller se creusait à peine sous le poids de cette tête légère aux cheveux blonds dressés comme de la plume. Elle répéta :

— Qu'as-tu ?

Il dut s'effrayer de cette voix rauque, de ce regard inquiet, car il marmonna précipitamment :

— Rien... enfin... je suis fatigué... la grippe peut-être... il vaudrait mieux que je n'aille pas au lycée, demain...

Rassurée, elle prit sur les draps les mains sèches, tachées d'encre, aux ongles rongés, et les tint unies entre ses mains.

— Tu as une composition ?* dit-elle simplement.

— Oui... mais c'est pas pour ça...

Elle serrait les mâchoires pour s'empêcher de sourire.

— C'est pas pour ça, je t'assure... Si tu crois que ça me fait quelque chose d'avoir une mauvaise place en math...

— ...Parce que tu prévois déjà que tu auras une mauvaise place ?...

La petite figure triangulaire, aux yeux noirs d'olive, roulait d'une joue de l'oreiller à l'autre.

— Ils donnent toujours des sujets idiots...

Elle bouffonna :

— Ainsi, tu voudrais que je mente pour t'excuser ? Mais j'en serais honteuse devant ton père, devant le proviseur, devant toi, devant tout le monde !...

— Tu ne serais pas plus honteuse si j'y allais et que j'étais classé dernier ?

— Certainement pas !

— Alors, tu te moques des notes que je te rapporte ?...

— Eh ! tu m'embêtes !...

Elle voulut s'écarter, mais une main vive la saisit au poignet. Il geignait, la mine pleurarde :*

— Reste, maman : j'ai des choses très, très importantes à te dire...

Et, plus bas :

— Réponds-moi : tu veux bien que je tombe malade pour demain... rien que pour demain...

Elle céda un peu trop facilement* à la prière de ce visage clair et de cette voix détimbrée :

— J'en parlerai à ton père.

— Chic !

Déjà, il couvrait ses doigts de baisers, de mordille-
ments :

— Merci ! merci !...

Puis, il terra sa tête au creux de l'épaule maternelle et,
le menton renversé, les paupières basses, il psalmodia :

— Tu en as, de jolis yeux, maman, comme du verre,
et de jolis sourcils, comme du chocolat...

Elle aimait ces conciliabules absurdes et tendres de
chaque soir. Il fallait une ombre dense au fond de la
chambre, une crique de lumière au bord du lit, le silence,
l'approche du sommeil, pour que ce sauvage gamin de
douze ans, criard et gambilleur, se révélât soudain prodigue en compliments et friand de câlineries.

— ... et de jolis cheveux comme du bois ciré...

Elle riait :

— Tu es complètement idiot, mon petit !

Mais il l'interrompit d'une basse râpeuse :

— « Ma chère, ne riez pas... Tout ce que j'ai... tout
ce que je suis... les médailles, la croix, l'Institut... je les
donnerais pour ces cheveux-là et ce teint de soleil !... »

C'était l'intonation précise qu'adoptait son père pour
lancer la réplique de Cadoual au deuxième acte de
*Sapho.** Et, si comique était cette voix mince qui se forçait aux notes graves et cette jeune figure où tremblait
une moue sénile, qu'elle s'esclaffa de nouveau :

— Quel singe !

Encouragé par le succès, il s'arracha de ses bras,
bondit hors des couvertures et se campa devant elle, le
buste haut, les mains pendantes, les pieds enfoncés jusqu'aux chevilles dans l'oreiller. Le pyjama trop grand
flottait sur ce corps sec à muscles de grenouille et les
manches lui descendaient jusqu'à mi-pouce. Il fit un
œil rond et se toucha du doigt la poitrine :

— « Médaillé en 1850 ! Cinquante-cinq ans dans
trois mois ! Qu'est-ce que cela prouve ?... Tant que le

cœur reste jeune, sacrebleu ! il chauffe et remonte toute la carcasse ! »

Et, de la paume, il se claqua la cuisse gaillardement.

Jeanne riait toujours, par quintes, par hoquets, et s'essuyait les yeux à deux poings :

— Vas-tu finir, Christian ?

D'un saut il fut en bas du lit et s'écria, pointant sa mère de l'index :

— Finir ? Jamais ! « Aimez si le cœur vous en dit... au risque de souffrir... au risque de pleurer... comme moi tout à l'heure... aimez, il n'y a que ça de bon dans la vie !... Le reste... »

Il ébaucha de la main un geste en vrille* et se tut, pétrifié dans l'attente de la réplique. Mais, comme sa mère ne semblait pas comprendre ce qu'il voulait d'elle, il souffla bientôt :

— Dis la réplique, maman.*

— Quelle réplique, mon chéri ?

— La réplique d'Alice : « Que c'est gentil ! Qu'ils disent de belles choses ! »

— Je suis pressée, Christian. Viens m'aider à préparer le souper, plutôt.

— Dis d'abord : « Que c'est gentil... »

— Mais je ne saurai pas le dire !

— Tu as bien vu comment faisait Claudia dans le rôle d'Alice ?

Il cambra les reins, dans l'espoir fallacieux de donner quelque importance à son derrière, défripa d'un doigt les plis d'une robe imaginaire, inclina la joue sur son épaule, arrondit ses lèvres en cul de poule* et prononça d'une voit flûtée, étirant, nivelant, engluant les mots dans une sorte de miaulement affecté :

— « Que c'est genti-il ! Qu'ils disent de be-elles choses ! Je n'ai jamais entendu parler de l'am-mour comme ça !... »

Elle essaya d'imiter la grimace, l'intonation vaniteuse, proféra :

— « Que c'est gentil... »

mais pouffa de rire au milieu de la phrase :

— Je ne pourrai jamais ! Si cette pauvre Claudia nous entendait !... D'ailleurs, tu me fais perdre mon temps ! Ton père va venir d'un moment à l'autre et rien n'est encore prêt.

Comme elle se penchait sur la casserole, où l'eau sautait à grosses bulles autour de quelques patates craquelées et grises, une clef fouilla la serrure et la porte d'entrée s'ouvrit et se referma dans un ébranlement sonore.

Antoine parut sur le seuil de la cuisine. Un feutre ailé ombrageait sa figure mal démaquillée et un épais foulard de laine bleue coulait entre les revers dressés de son imperméable.* Il jeta son chapeau, son manteau, son cache-nez sur une chaise et déclara selon son habitude :

— Il ne fallait pas m'attendre...

Puis, il tourna le robinet de l'évier que terminait la trompe rouge d'un brise-jet, se lava les mains, s'essuya au linge accroché sous le grêle tuyau, contre le mur. Et elle guettait ses moindres gestes avec une attention sérieuse et ravie :

— Tout est prêt. Tu peux passer à table, mon chéri.

Sans mot dire, il gagna la pièce voisine où le couvert était mis. Mais, avant de s'asseoir, il enfila un veston d'intérieur taillé dans un vieux peignoir de sa femme, et chaussa des pantoufles feutrées.

Jeanne le suivait, portant une assiette garnie de tranches de bœuf bouilli et un saladier comblé de pommes de terre fumantes. Du coude, elle écarta quelques paperasses et posa les plats devant lui. Puis, elle s'installa à ses côtés, sur une chaise, et Christian, derrière elle, s'affala de tout son long en travers du sommier.

Au mutisme de son mari, elle devinait qu'il ramenait de mauvaises nouvelles. Mais elle n'osait pas l'interroger. Elle le regardait découper sa viande effilochée* et bordée de graisse jaune, engouffrer les morceaux dans sa bouche et mâcher avec une lenteur préoccupée. Et, pendant qu'il découpait, engouffrait, mâchait, ses prunelles demeuraient fixes et deux grandes rides verticales jouaient sur son front. Elle dit enfin :

— Tu n'as pas pris tes cachets, Antoine.

Il posa sur elle un œil étonné et s'exclama mollement :

— Tu as raison. Verse-moi un verre d'eau, veux-tu ? Toutes ces histoires me font perdre la tête !

Le joint était trouvé :

— Quelles histoires ?

Il happa un cachet, but une gorgée d'eau dans un vigoureux sursaut de pomme d'Adam, et se tamponna les lèvres avec le coin de la serviette :

— Guéretain prétend qu'on ne tiendra pas longtemps... les faveurs... la salle vide... le directeur introuvable... il ne faudrait pas, à l'entendre, compter sur plus de cinq ou six soirées...

— Guéretain, c'est le gros rase-motte* qui m'a donné du jujube le soir de la Générale ?* demanda Christian.

— Laisse parler ton père, dit Jeanne.

Et elle répéta :

— Cinq ou six soirées ?

Il acquiesça du menton.

— C'est sûr ?

— Presque...

Un silence de mastication et de rêverie s'établit entre eux. Elle étudiait la situation, cherchait en esprit les

vieux arguments, les échappatoires éprouvées, les consolations familières. Puis, elle parla. Elle s'étonnait qu'il
se désolât pour si peu. Combien de fois n'avait-il pas
vu ses prévisions déjouées ? En tournée, certes, un pareil
échec pouvait être grave, à cause du rapatriement dont
l' « Union »* refusait parfois d'assumer les frais. Mais,
à Paris ! Elle avait mis quelque argent de côté. Le percepteur attendrait, le « gaz » aussi. Quant à l'appartement, ils n'étaient en retard que d'un terme et Antoine
paraissait au mieux avec le gérant qu'il arrosait régulièrement de billets de faveur. D'ailleurs, il trouverait rapidement du travail : radio, figuration, synchronisation,
ou peut-être même un second rôle dans une pièce... Boivin n'avait-il pas promis de le recommander au directeur de la « Jeune Comédie » ?

— Oh ! les recommandations, les promesses de Boivin !* dit-il.

— C'est Boivin qui joue le pompier dans *Pitchounette* et qui dit : « Boum ! voilà ! » à la fin de chaque
réplique ? interrogea le gamin qui jugeait que la conversation manquait d'intérêt.

— Christian, va voir si l'eau bout, dit Jeanne.

Antoine repoussa le couvert, alluma une cigarette,
aspira une longue bouffée, les joues creuses, les yeux
clos de plaisir. Puis, il souffla la fumée par les narines
et releva les paupières sur un regard dolent.

— A chaque tuile qui me tombe, je me demande
plus anxieusement s'il m'arrivera de percer un jour,
dit-il. (Il parlait d'une voix chuchotante de conspirateur
pour ne pas fatiguer sa gorge.) Peut-être, après tout, ne
suis-je pas fait pour percer ?... Peut-être ne mérité-je
pas de percer ?...

— Antoine !

Elle était devenue très rouge, ses yeux brillaient, gris
et vifs, et elle respirait rapidement.

— L'eau a bouilli, dit Christian, en s'affalant de nouveau sur le sommier.

— Ecoute, Antoine... je n'aime pas ce découragement que tu affiches à tout propos. Tu n'as pas le droit ! Tu as tous les atouts en main!* La voix, le physique, l'expérience !... Ça me gêne beaucoup de te parler de ça, mais je voudrais te guérir de cette modestie absurde !...

Il avait un tel besoin d'admiration qu'il se plaisait à la provoquer parfois par des propos défaitistes. Mais, ce soir, il était vraiment malheureux, et la sincérité qu'il apportait à se plaindre décuplait le plaisir qu'il éprouvait à être consolé. Elle disait pourtant des paroles très simples, les mêmes qu'elle lui avait adressées la veille, les mêmes, sans doute, qu'elle lui adresserait demain. Mais ce pauvre langage la révélait si convaincue, si aimante, si fière, qu'il ne désirait pas, certes, qu'elle en changeât. Même, il attisait, distraitement, cette éloquence :

— Tu exagères... Tu ne peux pas te rendre compte... Le public...

Elle l'interrompit avec véhémence :

— Mais je ne suis pas la seule de cet avis, Antoine ! Exemple : j'ai rencontré Mme Bousquet, du troisième, à qui j'avais donné des billets pour *Pitchounette* : elle est littéralement emballée !* Elle n'a que ton nom à la bouche. M. Vautier par-ci, M. Vautier par-là !... Elle m'a dit qu'elle t'avait trouvé tordant lorsque tu revenais sur scène au trois,* en tenant sous le bras le casque de Boivin, et que ses amies aussi t'avaient trouvé tordant, et que, derrière elle, des gens se demandaient pourquoi on t'avait confié un si petit rôle, alors que tu avais plus de talent que tous les autres réunis !... Moi, je buvais du petit lait,* tu penses !... Je me disais : si seulement Antoine pouvait l'entendre !...

Elle était admirable dans cette fonction de génie

femelle préoccupé de rondes consolations, d'indignations déférentes ! A mesure qu'elle parlait, il sentait fondre en lui quelque chose d'hostile, de révolté, de lâche qui l'étouffait. Enveloppé de propos rassurants, de regards élogieux, il reprenait confiance. Comme un plongeur jailli à la surface de l'eau et qui retrouve le souffle, il se grisait de cette atmosphère intime d'apothéose. Douceur de vivre entre ces quatre murs où toute chose était prévue pour lui complaire, gravité de jouer le premier rôle sur cette scène de choix, orgueil de dominer certainement son public.* Il regarda cette femme accoudée devant lui, dont les yeux ne quittaient pas ses yeux, et cet enfant couché sur le sommier dans une attitude écartelée de sauteur à la perche. Ils n'avaient que lui. Ils ne vivaient que par lui. De lui seul dépendait leur bien-être. En vérité, d'avoir à protéger quelqu'un lui donnait l'impression soudaine d'être fort :

— Pourquoi n'est-elle pas venue me parler dans ma loge ?

— Elle n'osait pas... elle est bête...

Il y eut un silence. Elle lui versait une tasse de thé.

— Je n'ai plus de menthe, dit-elle. Tu m'excuseras.

— Ça ne fait rien. Ma gorge va mieux, ce soir. C'est Boivin qui a complètement perdu la voix. Il murmure. Et, comme de plus il ne sait pas un mot de son texte, le public avale une de ces bouillabaisses* clapotantes !... Ça ne l'empêche pas d'ailleurs de poser à la vedette ! Tu sais, son grand machin du deux, il le dit de plus en plus en monologue, tourné vers la salle, collé à la rampe* et sans un geste ! Je trouve ça idiot ! D'abord ce n'est pas chic* pour les camarades que ça relègue tout de suite au second plan ! Et puis ça manque de nerfs, ça manque d'allure ! Non ?

Elle s'empressa d'approuver :

— Bien sûr...

Elle le regardait avec joie reprendre de l'assurance. Il critiquait, il blaguait. Il avait cette voix modulée et cet œil joueur des soirs de grande suffisance. Pour que demeurât sur ses traits cette expression triomphale, elle eût donné, lui semblait-il, mille choses inestimables sans les regretter.

— Tiens, au trois ils ont applaudi ma sortie aujourd'hui !

— Tu vois bien !

Ces ragots de coulisses* la récompensaient d'une journée épuisante et solitaire. Elle avait la sensation de participer soudain au vertige d'une vie active, traversée d'intrigues louches, d'allégresses fulgurantes, de désespoirs sans lendemain. Elle se passionnait pour ces histoires de loges mal situées, d'ampoules dérobées, d'effets sabotés, pour les critiques injustifiées des envieux, pour les promesses raisonnables des gens de bien, pour les potins, les coups de tête, les coups d'épingle, les coups de gueule, pour toute cette agitation, pour tout ce bruit des existences de grande misère et de petite gloire.

Vautier s'était levé et s'étirait à bâillements sonores devant la glace. Il dit :

— La petite Roy m'a encore fait des propositions, ce soir...

Elle tressaillit à cette vieille plaisanterie venimeuse. Allons ! il était guéri puisqu'il essayait de la blesser déjà. Elle s'imposa de lui procurer une dernière satisfaction d'amour-propre :

— Je n'aime pas cette fille, dit-elle. Est-elle seulement jolie ?...

Il fit entendre un sifflement cascadé sur trois notes :

— Mieux que ça, ma chère. Elle est belle ! Mais d'une beauté canaille, je te l'accorde ! Une de ces gosses qu'on a envie de fouetter jusqu'au sang, d'embrasser jusqu'à perdre le souffle et de récompenser d'une tartine ou d'un sucre d'orge !... Je sais bien qu'un autre que moi...

— Antoine, le petit...

— Quoi ? je ne dis rien de mal !...

Il tournait vers elle son gros visage rose, aux yeux plissés en fente de tirelire,* à la bouche hilare. Il jubilait. Elle dit :

— Tu ferais mieux de te coucher tout de suite, si tu veux te lever tôt demain pour passer dans les agences.

— Et mon inhalation ?

— Christian va s'en occuper.

Christian se dressa, somnolent et soumis, plaça l'appareil sur la table, emplit d'eau bouillante la petite casserole émaillée de bleu et de blanc, et versa dans l'eau quelques gouttes d'eucalyptus dont le parfum têtu emplit aussitôt la chambre. Vautier, redevenu sérieux, s'assit devant l'inhalateur, plongea son nez, ses lèvres dans l'embouchoir, et on l'entendit qui respirait à grand bruit pendant que la sueur perlait à son front et que des larmes noyaient ses yeux pommés par l'effort.

Puis il releva la tête, essuya du revers de la main ses narines huileuses, prononça quelques « mèreu Jezabel » retentissants, et se déclara satisfait. Déjà, sa femme apportait le pyjama qu'elle avait mis chauffer sur le radiateur, et disposait sur la table de nuit un verre d'eau où trempait un morceau de sucre et le serre-tête dont il se coiffait pour dormir.

Ces rites immuables annonçaient la fin de la journée. Christian geignit un « 'soir », collectif, et sortit en traînant les pantoufles et en reniflant vigoureusement.

— Qu'as-tu à renifler ? dit Jeanne.

Il lui jeta un regard de furieux reproche :

— Ma grippe...

— Ah ! oui...

Et, comme il la devinait prête à pouffer de rire et que lui-même se retenait à grand'peine, il franchit le seuil et referma sur lui la porte de la chambre.

Le lendemain, devançant toute prévision, la direction de l'Eden-Palace retirait *Pitchounette et son Pompier* de l'affiche. Bien qu'il s'attendît à l'événement, Vautier fut atterré à la vue des panneaux plantés devant la porte et traversés d'une bande bleue à lettres blanches : « Relâche ».*

Le directeur recevait les artistes à tour de rôle. Et, pour chacun, il lésinait sur le prix des répétitions, rappelait d'innombrables amendes, s'étonnait des protestations, faisait du sentiment. (On devait le comprendre ; cette affaire l'avait ruiné ; il ne s'en relèverait pas ; ceux-là étaient toujours punis qui demeuraient trop attachés à l'art !) Les menaces le trouvaient dangereusement lyrique :

— Vous, Vautier ! Vous, en qui j'avais cru deviner un ami ! Vous dont je me promettais de suivre et de soutenir la carrière ! Vous, que j'avais déjà recommandé auprès de mes confrères ! C'est vous qui venez me demander le cachet de trente représentations* alors que *Pitchounette* n'a pas tenu quinze jours ? Comment ?... Mais je le sais, que le contrat vous engageait pour un mois ! Seulement, il faut interpréter les termes avec souplesse... Il y a la lettre, et il y a l'esprit... D'ailleurs, à quoi bon prolonger ce débat qui nous est aussi pénible à l'un qu'à l'autre... Si vous voulez me citer devant l' « Union », si vous voulez me poursuivre en justice,* faites-le, vous êtes libre ! Mais vous ne toucherez pas un sou de plus, parce que je n'ai plus un sou !...

Et, d'un geste solennel, il ouvrait un tiroir tapissé de papier-journal, où seules gisaient deux pièces de cinquante centimes oubliées.

Sur le seuil de la porte, il serrait une main qui se dérobait, tapotait une épaule basse. Il chuchotait :

— Je peux bien vous le dire en ami : je garde encore un brin d'espoir pour l'avenir... Peut-être aurai-je quelque chose pour vous bientôt... oui... oui...

Mais celui qu'il congédiait savait déjà qu'on montait un écran sur la scène.

Ils se retrouvèrent tous dans le bistrot du théâtre pour flétrir le patron et supputer les difficultés imminentes. Un groupe pitoyable d'hommes et de femmes attablés devant des cafés-crème et détaillant leurs soucis dans une rage de surenchère.* Le terme, l'électricité, le gaz, les traites, les échéances du Crédit Municipal...* Que faire ? Boivin posait à la vedette au grand cœur. Sombre et concentré, il renseignait une petite poule chlorotique aux yeux gonflés de larmes et aux narines irritées :

— Tu pourrais voir aux Variétés : ils cherchent de la figuration... Ou encore au Châtelet, mais ça ne paie guère...

Le jeune premier,* grassouillet, coiffé plat et au blond visage poudré comme un rahat-locoum,* s'acharnait à fixer les responsabilités :

— Avec une autre salle... avec d'autres décors... avec une autre mise en scène...

Guéretain l'interrompit, les deux bras lancés au-dessus des verres, les prunelles en bille :

— Et le texte ! Et le texte qu'est-ce que t'en fais ? glapissait-il. Dès la première lecture du *Pitchounette*,

j'avais prédit qu'on ne tiendrait pas deux semaines
avec ce texte-là ! Dès la première lecture ! vous m'en-
tendez ? La petite Roy est là pour l'attester !...

La petite Roy bâillait, tirant une langue rose et la
branlant un instant à l'air comme pour lécher une
friandise.

— Ça change quoi, que tu l'aies prédit ?

Guéretain se rebiffait, répondait à côté :

Bien sûr, tu t'en fous, toi ! Ton chef de rayon*
t'entretient ! Mais les autres...

Elle eut ce rire perlé « à vous retourner les orteils
dans les chaussures », comme disait Guéretain :

— Te plains pas ! ça nous a toujours fait un spectateur le soir où il y en avait vingt dans la salle !

Vautier essaya d'élever le débat. D'une voix augurale,
il proféra sur l'art quelques jugements amers et brefs :

— Il n'y a plus que le public pour croire à la vertu
de l'art... Le grand art n'est pas de bien interpréter un
rôle, mais de découvrir chaque jour, à heure fixe, de
quoi se mettre sous la dent...*

Le tenancier du bistrot fut invité à donner son avis.
Il se trouva qu'il était d'accord avec eux sur tous les
points. On lui en fit un succès. Il dut payer une tournée.
Boivin en paya une autre. Les figures s'échauffaient,
les voix étaient hautes. Comme l'heure avançait, on
décréta que la distribution de *Pitchounette* s'était révélée
remarquablement homogène. On décida qu'il était dommage qu'une pareille troupe en fût réduite à se disperser
sans avoir pu donner sa mesure. On jura de ne pas se
perdre de vue. On inscrivit des adresses sur des carnets.
Puis, on se sépara, avec le pressentiment intime qu'on
ne chercherait pas à se revoir.

Le jour même, Vautier entreprit la battue métho-
dique des agences. Dans les salles d'attente, pavoisées

d'affiches criardes, des dactylos platinées, pommadées, et aux pattes infernales, malmenaient leur clavier dans une rumeur de mitraille. L'une d'elles demandait, sans interrompre la danse de ses doigts sur les touches :

— Vous désirez ?

— M. Galusson.

— M. Galusson est absent de Paris pour quelques jours...

— Allons donc ! Je lui ai téléphoné ce matin... Rappelez-lui : Vautier... Antoine Vautier...

Sans marquer la moindre surprise, elle se levait, disparaissait derrière une porte et revenait aussitôt :

— M. Galusson vous fait dire qu'il n'y a rien pour le moment. Si vous voulez me donner votre adresse ?

— Non... je reviendrai... je préfère... Et dans combien de jours pensez-vous ?...

Elle haussait les épaules :

— Nous ne pouvons pas savoir, monsieur...

Il s'éloignait. D'autres entraient, balbutiaient des recommandations confuses, présentaient des photographies, des cartes de visite, insistaient comme lui, comme lui prenaient congé sans avoir obtenu la moindre assurance.

De nouveau, les agences. Des agences de tournées, des agences cinématographiques... Partout, le refus poli, la promesse incertaine, les fiches remplies pour la dixième fois. (« Quels sont les sports que vous pratiquez ? De quelle garde-robe disposez-vous ? Quelles langues parlez-vous ? Dans quels films avez-vous tourné ? ») Les virées matinales dans les studios de Joinville, d'Epinay où il connaissait un maquilleur, un concierge, un aide-opérateur quelconque.

— C'est complet, mon vieux. On te fera signe...

Et, le soir, les palabres dans les cafés d'artistes du boulevard de Strasbourg.*

Toutes les tables sont prises.* Les glaces des murs multiplient l'image de cette humanité lamentable, affalée sur les banquettes de molesquine rouge, devant des guéridons trop petits pour le bataillon de verres, de soucoupes, de tasses qu'ils supportent. Une fumée bleue coule en mousseline autour des lampes. Une rumeur de voix, de rires, de vaisselle heurtée.

— Tiens, Vautier ! Ça va ?

Il regarde ces gueules avides. Il dit :

— Ça se précise... Je ne peux rien dire encore... mais ça se précise...

Contre la vitre, la pluie tape dur et on voit les gouttes lumineuses qui ruissellent sur le fond noir.

Cependant, les journées filaient sans apporter le moindre engagement. Jeanne avait simplifié le menu : bouillon « kub »,* frites, salade... On refusait de payer le terme sous prétexte que les robinets fuyaient. Antoine écrivait au propriétaire des lettres d'une dignité embarrassée : « C'est par principe que je ne veux pas régler le montant de votre quittance tant que vous n'aurez pas procédé à la réfection de la tuyauterie... » Pour le gaz, pour l'électricité, la phrase consacrée accueillait les garçons de recettes :

— Laissez une fiche... on passera demain...

Et, soudain, la sommation avec frais des impôts.* Trouver de l'argent, vite, une petite somme, cinquante francs, trente francs, pour prouver sa « bonne volonté ». Le smoking au clou?* Mais il faudrait renoncer à la figuration habillée,* et c'était la seule qu'on payât bien ! Bah ! on se débrouillerait !... Après une longue discussion sur la générosité comparée des divers bureaux de Crédit Municipal, on se décida pour l'établissement central de la rue des Francs-Bourgeois, dont l'installation spacieuse et le nombreux personnel commandaient la confiance. Le montant du prêt fut versé le jour même entre les mains du percepteur. Mais, le lendemain, Vautier recevait une convocation pour tourner en tenue de soirée. Il fallut emprunter le smoking de Guéretain, olivâtre, piqué de mites, et qui, trop grand pour son propriétaire, moulait à craquer les formes épaisses d'Antoine. Le cachet qu'il rapporta servit à dégager son propre smoking dans l'espoir d'une nouvelle figuration. Et, de fait, il fut appelé bientôt, mais pour tourner une silhouette de batelier de la Volga. Il revint harassé, hargneux, parce qu'on l'avait déchaussé, revêtu de guenilles, éclaboussé de boue et qu'il avait tiré toute la journée sur une corde en gueulant des chansons barbares. Il refusait de soigner sa gorge et de se laver. Il parlait de tout plaquer. Il enviait ceux qui n'ont ni femme ni enfant pour les retenir de se jeter par la fenêtre. Jeanne redoutait ces grands éclats de voix qu'accompagnaient des coups de poing sur la table et des regards fulgurants. Elle rôdait autour de lui, prévenante, éperdue. Elle répétait :

— C'est un mauvais moment à passer...

— C'est une mauvaise vie à vivre, veux-tu dire, prononçait-il d'une voix de basse-taille.*

Un soir, cependant, il rentra un peu plus tard que de coutume et, à la manière amortie dont il referma la porte et au son posé de sa voix, elle reconnut qu'il était de meilleure humeur.

— Vous avez dîné sans moi, j'espère ?

— Oui, dit-elle, et j'ai envoyé Christian au lit parce qu'il m'a paru un peu fatigué. Tu as mangé ?

Il frottait ses grandes mains molles l'une contre l'autre :

— Non.

Elle s'affaira :

— Je vais réchauffer ta part.

Il la suivit dans la cuisine. Les manches du peignoir roulées jusqu'au coude, elle mitraillait les rondelles du fourneau avec un allume-gaz à ressort. Bientôt, les casseroles mijotèrent à petit fredon sur leur couronne de flammes bleues. Alors, elle s'arma d'une cuillère et tourna le bouillon, dont la pellicule de graisse blanche se cassait et fondait lentement. Comme il la regardait sans mot dire, elle demanda :

— Tu as vu le régisseur* de Despagnat ?

— Oui.

— Eh bien ?

— Il est exact qu'il se prépare à tourner *Jack*,* mais il est encore trop tôt pour s'inscrire... Despagnat retarde de semaine en semaine la date de réalisation parce qu'il ne parvient pas à découvrir le gosse du rôle...

— Je croyais qu'il avait choisi Claude Golet...

— On l'a dit, mais rien n'est plus faux. Despagnat ne veut pas de Claude Golet, non plus que d'aucun gosse qu'un film précédent aurait mis en vedette. Il cherche du nouveau. Il multiplie les convocations, les bouts d'essai...* Il fouine. Et tout le monde attend son bon plaisir !

Il s'était adossé au chambranle de la porte, le buste tassé, les mains dans les poches, et son pied tourmentait, roulait, un bouchon sur le carrelage. Elle crut deviner l'approche d'une crise de désespoir majuscule. Elle dit vivement :

— Tu ne vas pas te laisser abattre par cette affaire ?...

Il secoua la tête :

— Je ne songe pas à me laisser abattre. Bien au contraire...

Un silence. Il souriait drôlement. Elle interrogea encore :

— Tu espères obtenir quelque chose ?

— Il ne s'agit pas de moi.

— Et de qui ?

— Christian...

Elle releva le front avec une expression peureuse, fâchée :

— Tu n'y penses pas, Antoine !

— Pourquoi n'y penserais-je pas ?

Il se rapprocha d'elle, se pencha sur elle :

— Si Despagnat consent à prendre Christian pour le rôle, s'il marche à fond sur le petit...

Elle lui saisit la main au vol et le fixa d'un regard suppliant :

— Il a ses études, Antoine ! Il faut qu'il travaille ! Il éprouve du mal à se maintenir au niveau de sa classe...

Il s'exclamait :

— Ses études ! Sa classe ! Est-ce que ça compte auprès d'une carrière ? Songe à son avenir ! Des gosses qui ont leur certificat,* leur bachot,* il y en a des milliers, des milliers ! Des gosses lancés par Despagnat il y en aurait un !...

Il piqua vers le plafond un doigt prophétique :

— Un seul : le tien !

Et, de tout près :

— Crois-tu qu'il sera plus heureux, qu'il gagnera davantage à gratter dans une administration de quinzième zone* qu'à tourner sous la direction des plus grands metteurs en scène ?

— Non, bien sûr...

— Imagine un peu le tableau : ton fils devenu un second Claude Golet ! Des engagements à la pelle ! Des photos, des interviews dans tous les journaux ! Et je pourrais le conseiller !* Il ne serait pas livré à lui-même comme je l'ai été !...

Il accélérait le débit, haussait le ton, pressentant la victoire. Mais elle dit :

— Je n'aimerais pas qu'il devînt acteur...

— Mais pourquoi ? Pourquoi, mon Dieu ?

— Je ne peux pas t'expliquer... C'est sans doute absurde... mais je rêve de quelque chose d'autre pour lui... Un docteur... Un avocat... je ne sais pas, moi...

— Un docteur ? Un avocat ?

Il la cingla d'un éclat de rire torrentiel :

— Mais ça n'existe pas, mon petit ! Sais-tu ce que ça gagne un docteur, un avocat, hein ? Je n'ai pas de chiffres en tête, mais c'est dérisoire ! Tandis que Claude Golet !... Je n'ai pas non plus de chiffres en tête, mais je te prie de croire que c'est tout de même autre chose !

Elle soupirait. Il demanda :

— Alors ?

— On ne pourrait pas attendre une semaine ou deux, que je me fasse à cette idée ? Ça me paraît tellement drôle ! Mon Christian qui était un petit garçon comme les autres, et puis, tout à coup, on va le prendre, l'habiller, le maquiller... Attendons un peu...

— Voyons, Jeanne, c'est de l'enfantillage ! Chaque jour perdu diminue nos chances de réussir ! Enfin, tu admets bien que je joue, moi ?

— Ce n'est pas la même chose.

— Aurais-tu préféré un mari docteur, avocat ?

— Certainement pas !

— Alors, je ne saisis plus ! Explique-toi !

Elle se passa la main sur le visage, comme pour se garer d'une lumière trop vive :

— Je ne peux pas t'expliquer. J'aime que tu joues, j'en suis heureuse, j'en suis fière... Mais, le petit...

— Le petit !... Le petit !... Veux-tu que je te dise ? Tu as peur de cet avenir parce que je ne t'y ai pas préparée, parce que je t'ai annoncé brusquement mes intentions, parce que je t'ai mise en face du fait accompli !...

Elle poussa un faible cri happé, interrogea d'une voix passée :

— Du fait accompli ?

Il dit à contre-cœur :

— Oui, j'ai parlé de Christian au régisseur... J'ai une convocation en poche pour lui... pour dans trois jours... Un bout d'essai au studio de la Corona-Film à Epinay... Allons, ne fais pas cette tête-là, Jeanne, je t'en prie !...

Et, soudain, il abattit son poing sur la table où sursauta en cliquetant une cuillère à café oubliée, et gronda :

— C'est tout de même insensé ! Nous bouffons à peine à notre faim !* Nous avons plus de dettes que je n'en pourrais couvrir avec cinq mois de tournée ! Et, lorsque je viens te proposer cette planche de salut, tu fais la difficile, tu hésites, tu discutes ! Préfères-tu que je continue à courir les agences, à m'humilier, à gâcher mes chances de succès futur, préfères-tu que je me coule, préfères-tu que je me crève, mais que Christian reste au lycée, mais que Christian se garde d'embrasser le honteux métier de son père ?...

Il marchait d'un mur à l'autre, à grands pas sonores et en respirant fortement. Et, chaque fois qu'il passait sous la lampe bas descendue, il était obligé d'incliner la tête pour l'éviter.*

— Te rends-tu compte de l'absurdité, de la monstruosité de ton attitude ?

Tout à coup, il s'arrêta devant l'évier, se versa un verre d'eau, l'avala d'un trait.* Elle levait sur lui ses yeux pâles baignés d'un éclat tremblant, ouvrait ses lèvres sur un misérable sourire. Il la regarda. Il balbutia :

— Mais qu'as-tu ? Tu pleures, ma parole ?...

— Non... Tu as raison... Je suis stupide... Il faut

profiter de cette occasion... Sinon... si après il ne trouvait pas de place, ou s'il ne trouvait qu'une mauvaise place, il m'en voudrait, et tu m'en voudrais de l'avoir empêché de tenter sa chance... Et ça, je ne veux pas, tu comprends ?...

Elle se tut. Il appuya sa bouche sur la joue molle, parfumée de poudre de riz, sur les cheveux frais lavés qui sentaient un peu le vinaigre, et, de sa plus grave voix de cinquième acte, laissa tomber un à un les mots qui récompensent :

— C'est très beau ce que tu viens de dire là, Jeanne...

Dans la vitre au tain* de nuit, il voyait sa haute et lourde carrure reflétée et son visage tailladé de lumière et d'ombre qui se penchait sur le visage de sa femme. Il garda la pose* un long moment. Elle poursuivait :

— Oui, décidément cela sera mieux ainsi... Et puis, on pourra faire venir un professeur à domicile... Ou même, il pourra continuer d'aller au lycée, après le film...

Il approuvait :

— Sans doute... sans doute...

Elle détourna la tête :

— D'ailleurs, peut-être ne leur plaira-t-il pas ? dit-elle.

Vautier poussa la porte surmontée d'un énorme piston qui referma le battant derrière eux dans un soupir. Ils se trouvaient dans une chambre aux murs nus passés à la peinture bise,* au plafond de verre armé. Quatre gosses, flanqués de leur mère, occupaient les banquettes fixées à la cloison. Toutes les têtes se tournèrent vers Antoine et vers Christian, tous les yeux s'unirent sur eux, les regardèrent s'avancer, chercher une place, s'asseoir.

Vautier avait revêtu un complet sombre aux plis luisants et chaussé des souliers vernis. Christian portait ce costume gris qu'il exécrait parce qu'il le serrait aux entournures et aux fesses.

— Bigre ! il y a du monde, souffla Antoine.

Et il balaya d'un coup d'œil circulaire les faces rangées contre la paroi. L'un des gosses était joufflu, le front bas casé dans une épaisse chevelure châtain, bouclée au fer. Un autre, maigre, brun, au teint de nougat, aux yeux énormes, lunettés d'un cerne bistre.* Le troisième au visage léger, blafard, et sa mère l'avait poudré de blanc cru, lui avait touché de bleu pâle le bord des paupières, de noir les sourcils, de rose tendre les pommettes, le menton et la bouche. Le quatrième était un blond mélancolique, fade et soigné qui mâchait du chewing-gum avec un bruit de bébé qui tette. Ils attendaient depuis longtemps sans doute, car ils paraissaient fatigués, ennuyés, absents, et se taisaient.

Les mères, par contre, ne semblaient éprouver aucune lassitude. Bien mieux, cette pose interminable leur donnait un regain d'énergie : elles s'agitaient sur leur séant, creusaient les reins, tournaient la tête à droite, à gauche, arrêtaient un œil impérial sur tel concurrent de leur fils, le dévisageaient, le jugeaient, le détestaient en silence, puis ramenaient leurs regards noyés d'affection rassurée sur la progéniture glorieuse collée à leur flanc et qui, les jambes ballantes, le dos rond, les bras lâchés le long des cuisses, bâillait à pleines mâchoires. Alors, elles se penchaient sur l'enfant, le rappelaient à l'ordre d'un sec tiraillement du poignet, corrigeaient d'une pichenette* le nœud de cravate coincé entre les pointes amidonnées du faux col, rétablissaient d'une caresse l'ondulation étudiée d'une mèche, grattaient de l'ongle une tache invisible sur le revers du veston, demandaient au gamin, dans un chuchotement rapide, s'il se sentait toujours bien, s'il n'avait pas envie de sortir, et, satisfaites enfin de la réponse, redressaient le buste et retrouvaient pour quelques instants une immobilité béate et respectable.

Antoine poussa Christian du coude, cligna de l'œil :

— Tordant, dit-il.

Mais Christian n'avait pas envie de rire. Depuis le soir où son père l'avait réveillé, s'était assis à son chevet, lui avait dit d'une voix sourde ses projets, son espoir,* il lui semblait avoir bifurqué dans un autre monde. Il n'était plus retourné au lycée, mais on l'avait conduit chez le coiffeur, chez le photographe, on lui avait acheté une cravate à pois, une pochette, une chemise à col glacé. Pendant deux jours, Vautier avait travaillé avec lui devant la glace de sa chambre :

— Je connais le canevas du bout d'essai qu'on te

fera tourner. Lorsque Despagnat te dira d'être triste, tu regarderas bien fixement les projecteurs et les larmes te monteront aux yeux. Alors, cligne vivement des paupières, plisse le front, laisse tomber les coins des lèvres, et respire par saccade.

Il lui avait appris aussi à parler d'une voix enrouée que les sanglots menacent, à détourner la tête avec une noble lenteur, à marcher, à s'asseoir, à croiser les jambes :

— La pointe du pied tendue vers le sol, les épaules effacées, et cache-moi tes mains, pour l'amour du ciel !

Ces conseils, ces grimaces* avaient d'abord amusé le gamin. Un jeu. Et ses parents encourageaient ce jeu, prenaient part à ce jeu, en parlaient entre eux comme d'une véritable affaire. Il était fier de l'importance qu'on lui accordait enfin et ne doutait pas qu'elle fût méritée.

Mais, à présent, une gêne croissante se mêlait à sa joie. Ce voyage interminable, ces grandes cours traversées, cette salle où des matrones méprisantes le reluquaient, où son père même parlait à voix basse : l'aventure devenait solennelle ! Il ne pouvait plus suivre. Il était dépassé par l'événement.

Soudain, une grosse dame se moucha. Et toutes les dames, saisies par une contagion nerveuse, sortirent leur mouchoir, une à une, et se bouchonnèrent le nez. Il faisait chaud. On entendait des coups de marteau, mais très loin, et, par moments, la claque d'une planche jetée sur une autre planche.

Pourquoi ces femmes ne parlaient-elles pas ? Pourquoi n'y avait-il pas de table au milieu de la pièce, avec une pile d'illustrés dessus, comme chez le dentiste ? Christian essaya de s'imaginer qu'il était chez le dentiste, qu'il attendait son tour chez le dentiste. Il voulut dire à son père ce qu'il avait imaginé, mais, à cet instant, une porte à glissière s'ouvrit dans le mur et un petit bonhomme noiraud pénétra dans la salle où tout le monde se leva.

— Vous avez vos convocations ? dit-il.

Il y eut des déclics de fermoir,* des froissements de paperasses, et cinq feuillets se tendirent aussitôt vers lui. Il les ramassa l'un après l'autre, vérifia les noms, les dates. Puis, il prononça :

— Daniel Mogue. Si vous voulez me suivre...

L'une des dames devint très rouge, bredouilla :

— Mais oui...

Et déjà elle débarrassait l'enfant de son manteau, — il était vêtu d'un costume de marin bleu pâle avec un col rose où des ancres étaient brodées, — le recoiffait avec un peigne de poche, lui lissait les sourcils, le poussait devant elle. La porte à glissière se referma sur eux.

Lorsqu'elle s'ouvrit de nouveau, un choc intérieur secoua Christian et c'est dans un sentiment d'euphorie stupide qu'il entendit prononcer son nom :

— Vautier.*

Ils se levèrent, à leur tour, suivirent un long couloir qui s'arrêtait sur une porte de bois plein. A droite de la porte, une plaque en verre dépoli portait ces mots inscrits en lettres rouges : « Silence. » Et, derrière cette porte, il y avait une autre porte matelassée et percée d'un minuscule judas vitré.

Le seuil franchi, le studio apparaissait, obscur, vaste, haut, encombré de grands pans de décors posés contre le mur, de projecteurs difformes à gueules de bombardes, de lampes à arc aux lourdes têtes globuleuses, hissées au sommet de frêles pieds de fer, de « gouttières »* meublées d'ampoules enflées, aqueuses, telles de grosses ventouses. Sur le sol, traînaient des câbles électriques souples, enroulés et luisants comme des corps de reptile. Mais cette batterie imposante était au repos, rangée, éteinte. Seul, au fond de la salle, un projecteur de puissance moyenne crachait son faisceau obtus de poudroyante lumière blanche. Il éclairait une table carrelée de paperasses, une caméra montée sur rails, la potence* gracile du microphone. Un homme était assis à la table. Sous un crâne nu, glacé de reflets roses, il avait une figure coupée en triangle, au nez vif et aux gros yeux bombés, roux, huileux, qu'il leva sur les visiteurs.

Un machiniste* désigna deux chaises.

— Asseyez-vous, dit l'homme au crâne nu.

Les deux mains aux tempes, les sourcils noués, il dévisageait commodément le gamin. Et, sous le regard chirurgical qui le clouait, Christian se sentait tremblant, suant, et vaguement indigné. Mais bientôt, Despagnat baissa les paupières et parla d'une voix brumeuse qui prenait le cœur :

— Ecoute-moi bien, mon petit : tout à l'heure, je vais te faire tourner un bout d'essai. Seulement, je te demanderai d'être très naturel, d'oublier que tu te trouves dans un studio et que tu joues un rôle, de redevenir vraiment le petit garçon que tu es à la maison, dans la rue... Je ne me crois pas bien méchant, ton père est là : nous sommes entre amis...

Il toussa dans son poing, ajouta :

— Voici le canevas que je propose : tu es en train de lire dans ta chambre ; tu entends du bruit dans la pièce voisine et, tout à coup, la porte d'entrée s'ouvre et se referme en claquant ; tu te précipites à la fenêtre ; tu vois ta maman qui s'éloigne au bras de quelqu'un ; tu retournes à ta lecture, mais ton visage exprime la tristesse de passer seul une soirée que tu espérais passer avec elle... Ce n'est pas grand'chose, comme tu vois. Il t'est déjà arrivé d'éprouver une déception analogue. Tu as déjà attendu un ami qui n'est pas venu, désiré un cadeau qu'on ne t'a pas donné... Tâche de te rap-

peler ces légers ennuis, tâche de les revivre devant moi,
c'est tout ce que je te demande...

Il se leva :

— Vous êtes prêt, Collet ?

L'opérateur,* juché sur le siège de la caméra, l'œil
au viseur, la longue poignée de l'appareil accolée à
l'épaule, braquait doucement la masse noire surmontée
de deux disques jumeaux.

— Lumière ! cria Despagnat.

Des projecteurs, une étonnante clarté jaillit, souleva
l'ombre en brume bleue jusqu'au plafond, révéla un
châssis de fenêtre, un fauteuil, un guéridon aux pattes
rachitiques.* Christian reçut cette lumière comme un
coup sur les yeux. D'instinct, il agrippa la main de
son père. Il ne saurait jamais, songeait-il, s'avancer
à l'appel de son nom, s'asseoir dans ce fauteuil, jouer
une scène selon les ordres de cet étranger. Il se prenait
à souhaiter qu'on l'engageât sur sa seule mine, ou que
son père changeât d'avis et le ramenât chez eux. Mais
Antoine lui retirait déjà son béret des mains et lui
chuchotait à l'oreille :

— Souviens-toi de mes recommandations : regarder
le projecteur, cligner des paupières, plisser le front,
crisper la bouche, haleter un peu comme après une
course... avec ça, tu es sûr de ton affaire !...

— Va te placer dans le champ, dit Despagnat.

Christian fit quelques pas. Un sourd bruit d'eau
montante envahissait, lui semblait-il, le silence. Il se
sentait frappé d'un abrutissement total, les membres
faibles, le cœur décroché, le cerveau vide et irres-
ponsable, détaché, porté vers il ne savait quoi.

— Assieds-toi, commanda la voix lointaine.

Il se laissa descendre sur le siège et, selon les conseils
d'Antoine, croisa les jambes, tendit la pointe du pied
vers le sol, effaça les épaules, cacha ses mains.

— Non, mon petit... Ce n'est pas ça...* On te sent surveillé, raidi... Il ne faut pas... Ramène ton talon sous ton derrière, tasse-toi en boule contre le dossier, ouvre le livre... Là... c'est déjà mieux...

La page du livre était sous ses yeux d'une blancheur éblouie de zinc. Il la tourna et s'effraya soudain de l'empreinte moite que ses doigts avaient laissée sur le papier.

— Tu es dans ta chambre, poursuivait la voix cotonneuse, bien seul, bien tranquille...

Et, tout à coup, c'était vrai qu'il était dans sa chambre, bien seul, bien tranquille. Dans un dernier sursaut, il se rappela les recommandations de son père : il y avait sans doute une expression attentive à prendre, une certaine façon de respirer... Mais cette lumière, cette chaleur le saoulaient, l'isolaient de la terre, de son père, de lui-même. Et la voix, caressante comme du gros velours, le guidait seule à présent :

— Tu lis... Ton livre est amusant... Ne fais pas semblant de lire, lis...

Il lut une phrase du regard. Il n'avait plus peur. Il avait une perception dédoublée des gestes qu'il accomplissait. Et cela était drôle, comme lorsqu'on rêve avec la conscience déliée de rêver.

— Tout à coup, tu entends marcher dans la pièce voisine... Fais bien attention : lorsque je claquerai des mains, cela signifiera que la porte d'entrée vient de se refermer. Aussitôt, tu te précipiteras vers la fenêtre. Mais, pour l'instant, tu écoutes ce bruit de pas. Lève la tête... lentement... plus lentement...

Il obéit. Mais ses yeux ne voyaient pas, aux confins du carré de clarté vive, les machinistes rangés en bataille et son père qui le dévisageaient. Il suivait, derrière des murs invisibles, une imperceptible rumeur de pas. Il était suspendu dans l'attente terrible du battement de mains. Lorsque Despagnat frappa ses paumes l'une contre l'autre, il se rua vers la fenêtre, comme propulsé par un ressort, il s'inclina sur la barre d'appui au risque de basculer.* On ne voyait plus que son dos étroit, ses bras coudés en pattes de grenouille et ses jambes haut culottées et gainées de chaussettes grises.

— Retourne-toi, dit Despagnat.

Penché en avant, comme prêt à bondir ou à crier, Antoine dévorait des yeux la nuque frêle du gamin.

— Une belle grimace tragique, suppliait-il d'une voix basse, comme ces joueurs qui encouragent au passage le cheval sur lequel ils ont porté leur mise.

Tranquillement, le buste vira sur les hanches, la tache ovale du visage apparut, frappée de blanc. Mais les yeux étaient secs, bien ouverts, la face impassible.

— Il est fou, gémit Vautier.

— Reviens au fauteuil, dit Despagnat, repousse le livre d'un revers de main. Collet, le « travelling »...*

A présent, cinq mètres à peine séparaient Christian de son père. Vautier tâchait d'attirer l'attention de son fils en remuant de la monnaie dans sa poche. Puis, il tendait le cou, imposait à sa figure une expression de douleur convulsive, de désespoir exemplaire, et de nouveau secouait la sonnaille des gros sous.

— Il ne fait rien... rien...

Parvenue à quelques pas de l'enfant, la caméra s'arrêta, poussive, terrible, avec ses allures carrées de machine infernale, prête à mitrailler le sol, à péter en éclats ou à couler un rayon mortel.

— Ne regarde pas l'objectif, dit Despagnat. Continue...

Il continua. Mais aucune moue amère ne dérangeait le féminin dessin de la bouche, aucune larme ne glissait sur les joues lisses, à pleine plombées d'ombre sous les fortes pommettes. Seul, un léger tremblement de la lèvre

inférieure, seule une humide lueur dans la pureté miné-
rale des yeux, seule, peut-être, une certaine façon d'incliner la tête sur l'épaule, annonçaient une tristesse
ennuyée. Et soudain, d'un vif geste de singe, il leva la
main, mordit son poignet, se détourna, et on l'entendit
qui pleurait vraiment.

— Halte ! dit Despagnat. Coupez les lumières.

Dans la nuit soudain retombée, Christian se dressa.
Ses jambes tremblaient comme après une longue course,
ses oreilles sonnaient et ses prunelles suivaient dans
l'air la ronde de mauves cellules à noyau de feu. En
vérité, il éprouvait cette sensation de faiblesse écœurée
qui vous accueille à l'issue d'un long évanouissement.

Plus tard, il distingua son père qui parlait à un machiniste en écartant les bras dans un geste d'impuissance
avouée. Et voici que les conseils qu'il avait oublié de
suivre lui revenaient à l'esprit. Il était mécontent, malheureux, inquiet. Il lui semblait que tous ces étrangers
le jugeaient ridicule, que son père était affligé de sa
maladresse, et que Despagnat, sans doute, regrettait de
l'avoir convoqué. Il vit la haute silhouette du metteur en
scène venir sur lui, les épaules soulevées, les mains
enfoncées dans les poches. L'homme s'arrêta à le toucher
presque de ses vêtements qui sentaient fort l'eau de
Cologne et la fumée. Christian ne distinguait pas son
visage, à contre-jour du seul projecteur allumé. Il attendait, le cœur battant, qu'il le critiquât. Mais l'autre ne
disait rien et balançait la tête. Et, tout à coup, il prononça :

— Eh bien ! mais ce n'est pas mal du tout, mon petit.
Nous allons tourner ça* et je t'indiquerai deux ou trois
répliques pour le son. Seulement, tâche de me jouer la
scène aussi sobrement que tu viens de le faire. Compris ?

Une joie sauvage fondit sur Christian. L'envie le
saisit de bondir au cou de ce gaillard étiré, à la voix

douce, et de l'embrasser, et de lui crier son orgueil, et de devenir son ami ! Mais l'autre, inconscient, eût-on dit, de la satisfaction prodigieuse qu'il avait dispensée, poursuivait déjà, tourné vers la nuit :

— Vous êtes prêt, Collet ? Lumière ! va te placer, mon petit...

Dans le couloir, Vautier prit la main de l'enfant.

— Ce n'était pas mal, dit-il, mais tu aurais pu faire mieux ! Je t'avais indiqué quelques effets sûrs que tu t'es empressé de ne pas caser. Résultat : tu as joué mou. D'ailleurs, Despagnat m'a également déçu.* Il ne sait pas, comment dirais-je ? donner un élan, soulever, jeter les acteurs au delà d'eux-mêmes ! C'est sans doute un honnête technicien, mais il n'a pas l'étoffe d'un artiste !...

Il poussa une porte, et ils se trouvèrent dans la cour noyée de brume et de nuit. Antoine remonta son foulard.

— Tout cela n'a du reste qu'une importance secondaire, conclut-il. L'essentiel est que tu aies plu. Car tu as plu. Le machiniste me l'a dit pendant que tu tournais la scène. Il a vu examiner des dizaines de gosses, mais à aucun d'entre eux Despagnat n'a adressé le moindre compliment. Il prétend même que l'affaire est dans le sac.* Je ne vais pas jusque-là. Mais, tout de même... tout de même... D'ailleurs, on ne peut rien savoir avant la projection...*

Il passa un doigt dans le col du petit :

— Tu as chaud. Couvre-toi bien. Il faudra soigner ta gorge. Et maman qui nous attend dans les transes.* Dépêchons-nous ! J'ai presque envie d'arrêter un taxi ! Non, voici le tram. Mais nous prendrons des premières.* La grande vie ! Et dire que, si je n'avais pas insisté, tu serais encore en train de pâlir sur des bouquins dans ta chambre ! Je peux me vanter d'avoir eu du flair, hein ? Tu es heureux ? Réponds !... Mais réponds donc ! On dirait que tu dors debout !...

Plantés devant la porte, ils attendaient pour entrer que s'éteignît enfin la lampe rouge allumée au-dessus de l'écriteau : « Silence. »

Les prises de vue* avaient commencé le matin même à neuf heures, mais, retardée par divers travaux ménagers, Jeanne n'avait pu partir en même temps que son fils dans la voiture que Despagnat avait mise à leur disposition. Antoine s'était résigné à ne l'accompagner que plus tard, quitte à manquer le premier tour de manivelle.* Depuis six heures, pourtant, elle était sur pied, préparant les sandwiches, le chocolat du petit, cirant les chaussures, brossant les habits, s'agitant, se dépensant, saisie d'une hâte vétilleuse. Et, après le départ de Christian, il avait fallu acheter du jambon, des œufs pour le souper, ranger l'appartement, s'habiller elle-même. Elle était exténuée, énervée, prête à pleurer pour un rien, parce que sa robe avait de gros plis lâches dans le dos, parce qu'elle s'était trop poudrée, parce qu'il pleuvait, parce qu'Antoine était mal rasé, parce qu'il n'y avait plus de places assises dans le tramway qui les emportait.

La lampe rouge s'éteignit au-dessus de l'écriteau de verre. Vautier poussa la porte :

— Suis-moi.

Le studio n'avait plus cet aspect de grenier désert et sonore, de hangar éventé, de gare abandonnée après le passage du dernier train. Au centre, se dressait un décor dont on ne voyait que l'envers de contre-plaqué* beige à charpente de bois blanc. Un projecteur, allumé derrière la cloison, envoyait au plafond une aurore opaline et figée. Des électriciens en cotte* bleue s'affairaient, rapides et silencieux, se hissaient sur les plates-formes, corrigeaient l'inclinaison d'un projecteur, redescendaient, traversaient en courant la salle.

Antoine et Jeanne contournèrent l'échafaudage, évitant les tableaux de commande, enjambant les poutres de soutènement ; et Vautier n'arrêtait pas d'expliquer, de commenter, de critiquer :

— Trop bas de plafond, le studio ! Et le revêtement de liège* ne vaut rien ! Tiens, tu vois les types vêtus en bleu ? Ce sont des électriciens... Ceux vêtus en brun, des machinistes... Un électricien n'a pas le droit d'employer le mot « ficelle »... Un machiniste...

Elle approuvait : « oui, oui... » avec fatigue, avec reproche. Elle avançait, le visage lourd, le regard échappé, comme une femme qui va tuer. Il dit :

— Tu en fais une tête !...

Le dernier portant dépassé, ils découvrirent soudain le décor. Une chambre privée de plafond, aux murs tendus d'étoffe grise et ouvrant par une porte-fenêtre sur un triste coin de parc. Un bureau chargé de registres. Des chaises alignées contre les parois. Despagnat se tenait au centre de la pièce et feuilletait un cahier de paperasses dactylographiées. Il était en bras de chemise et portait ses lunettes remontées sur le front. Collet se démenait autour de la caméra.

— Alors, c'est réparé ? dit Despagnat.

— Oui.

— Lumière !

De droite, de gauche, d'en bas, d'en haut, les projecteurs firent feu.* Une dure clarté d'étalage frappa les murs, aiguisant les teintes, ramassant les ombres en lignes ténues contre les objets, enfermant d'un choc le plateau dans une atmosphère surhumaine. La main en visière, Collet criait des ordres :

— Donne-nous le deux !... Serre... Serre encore... Pique un peu, maintenant... Elargis le rayon du trois...* Donne le spot...

Despagnat reculait d'un pas, clignait des yeux :

— Qui est-ce qui m'a fichu ce tableau sur le mur ?... J'ai demandé une gravure, une petite gravure !... Accessoiriste ! Accessoiriste !...*

Des voix répétaient :

— Accessoiriste !...

Un homme surgissait de l'ombre.

— Il me faut une gravure.

— Bien, monsieur Despagnat. Quel genre de gravure ?

— Ça m'est égal ! Soixante centimètres sur quarante, à peu près... le reste ça m'est égal... Et sans verre, à cause du reflet !...

L'autre s'éloignait en courant, s'arrêtait un peu plus loin, secouait la tête : « Il est sonné !* Où veut-il que je lui trouve ça ? Fallait le voir plus tôt ! » repartait, hurlant quelque chose.

— Pousse-toi : tu gênes le passage, dit Vautier.

Elle s'écarta. Elle était apeurée, fâchée. Tous ces gens qu'elle ne connaissait pas, criards, agités, grotesques, tout ce bruit, toute cette lumière l'étourdissaient.

— Où est le petit ? dit-elle...

Un figurant, vêtu en valet de pied, lui désigna une chaise dans un coin :

— Asseyez-vous, madame.

— Ma parole, c'est Pilou, s'exclama Vautier. Tu tournes un rôle ?

— Une silhouette. Cinq ou six jours au plus. Dis donc, si tu pouvais m'obtenir quelque chose par le petit...*

Il promettait, grand seigneur :

— Sois tranquille, je m'occuperai de toi. Comment ça marche ?

— Ça décolle lentement. Mais le gosse est admirable. Un dynamisme... un... un statisme... Tu as dû le travailler un peu ?...

Il sourit, mystérieux, important et dit :

— Un peu, oui... un peu... Tiens ! Kirchoff ! vieille barbe ! Ça va ?

Le maquilleur s'avançait, énorme dans sa blouse blanche de dentiste, et des bâtons de fard passaient hors de sa poche leurs têtes écrasées et multicolores.

— Ça va, ça va...

Antoine était heureux de connaître tant de monde et que tant de monde surtout le reconnût. Il serra la main du bonhomme, et lui dit à l'oreille une injure russe* qu'il avait récemment apprise et qui les fit rire tous deux dans un ronron de moteur qui démarre.

— Silence ! cria Despagnat. Si j'entends encore du bruit, je fais évacuer le plateau !* Accrochez la gravure... Plus haut... Bon !... Retirez-vous... Où est Vautier ?

Jeanne éprouva une courte révolte à entendre appeler Christian par son nom de famille, sans plus de ménagement que s'il avait été un acteur de métier.

— Vautier ! Monica ! Gourbier ! C'est insensé ! On ne peut pas interrompre une seconde sans qu'ils en profitent pour se défiler dans les loges ! Allez les chercher ! Ah ! les voilà !...

Un gros homme aux cheveux blancs, à la face crémeuse et vêtu d'une soutane de prêtre apparut dans le champ des sunlights.* Une femme le suivait, jeune, onduleuse, légère, au bref petit visage de chat, coupé de longs yeux obliques. Elle portait une robe à tournure en satin mauve, bordée de cygne, et une toque fleurie de violettes fraîches.

Vautier se pencha vers Jeanne :

— C'est Monica, dit-il. Tu l'as vue avec moi dans *la Grande Chevauchée,* la semaine dernière. Elle n'a pas un brin de talent, mais elle est la maîtresse de Despagnat. Il paraît même...

— Christian !...

Elle avait presque crié ce prénom, comme blessée. Elle regardait avec un désarroi stupide venir sur eux un maigre garçon habillé d'un veston de velours rouge, les jambes à l'air sous une courte jupe écossaise et coiffé d'un béret à chardon d'argent. De longs cheveux de fille d'un blond de foudre lui descendaient en rideau sur les épaules. Sa figure était passée au jaune mandarine et ses lèvres au raisin. Ainsi maquillé, accoutré, il avait l'air d'une gamine vicieuse, d'un petit saltimbanque, d'un jeune singe savant. Une honte aiguë la traversa. Elle sentit que le spectacle de cette mascarade froissait en elle des sentiments de tendresse farouche, de fierté hérissée... Elle chuchota :

— Antoine, tu as vu le petit ?...

— Oui, dit-il simplement. Il est assez rigolo.

Christian les avait aperçus. Il désigna du doigt sa jupe écossaise et fit mine de pouffer de rire dans son poing.

— Va te placer, dit Despagnat.

L'abbé s'était installé derrière son bureau, Monica sur une chaise, et l'habilleuse arrangeait déjà les plis de sa robe autour d'elle, soufflait sur la fourrure pour l'ébouriffer. Kirchoff tamponnait le visage de Christian avec un carré de buvard rose.

— Dégagez !

Un machiniste surgit dans le champ, portant une planchette noire où le nom du film s'inscrivait en lettres blanches. Il rabattit la claquette, annonça :

— *Jack,* numéro douze. Deuxième fois, et s'esquiva courbé en deux.

— Ambiance !*

Christian avait appuyé sa joue contre la joue de Monica, et Jeanne éprouvait un bizarre malaise à voir cette étrangère à figure de fille toucher les cheveux de l'enfant, l'attirer contre elle, lui effleurer les yeux d'un baiser volant de sa grasse bouche fardée.

— « Le nom ? » dit l'abbé.

— « Jack ! mais par un k, monsieur le supérieur. Le nom s'écrit et se prononce à l'anglaise... »

— Coupez ! cria Despagnat. Ça ne peut pas marcher comme ça ! Monica, vous regardez le micro et Vautier n'est pas assez tendre ! Et puis, qu'on me retire la petite gravure qui est accrochée au-dessus de Gourbier ! Elle fout toute la scène par terre !

— Il ne sait pas ce qu'il veut, murmura Jeanne.

Elle avait espéré une suite logique et vive de tableaux et ce retard, déjà, l'irritait.* La journée lui réservait bien d'autres épreuves : arrêts interminables pour des questions de détail, incohérence, agitation, ennui... Dix fois, les mêmes acteurs prononcèrent les mêmes répliques avec les mêmes intonations. Dix fois, les lumières furent recomposées, les angles de prises de vue modifiés.

Il faisait une chaleur intolérable. Les yeux lui brûlaient. Elle avait mal à la tête, mal au cœur, vaguement. Et cette fatigue qu'elle endurait devait être bien peu de chose, songeait-elle, auprès de celle qu'éprouvait le petit. Comme il souffrait, sans doute, frappé à bout portant par la clarté blanche des projecteurs, l'esprit concentré, les nerfs tendus, attentif à son texte, à sa voix, à sa pose et interpellé à tout moment par Despagnat qui corrigeait ses gestes les plus naturels ! S'il allait défaillir, ou fondre en larmes tout à coup ? Elle se prenait à détester cet homme en bras de chemise qui paraissait goûter un malin plaisir à prolonger le supplice du petit :

— Ce n'est pas ce que je vous ai demandé, Vautier...

Que toutes ces réflexions étaient absurdes ! Ne comprenait-il pas que Christian jouait de son mieux, qu'il était épuisé, qu'il fallait arrêter les prises de vue ? Comment se pouvait-il que personne ne protestât ?

Plus tard, Christian vint les retrouver pendant une pause. Elle le saisit par le bras, l'attira près d'elle, lui demanda s'il n'était pas fatigué, s'il n'avait pas faim.

— Veux-tu que j'aille t'acheter des sandwiches dans un restaurant ?

Il se débattait, riait à grands éclats, affirmait qu'il n'avait besoin de rien et qu'il serait sans doute capable de travailler quatre ou cinq heures encore s'il le fallait. Mais un enrouement léger de la voix, un certain affaissement des épaules, révélaient son épuisement.

D'une main souple, elle voulut lui caresser les cheveux, mais sentit, sous les fils soyeux, la calotte* rugueuse de la perruque et reporta instinctivement sa paume sur le front de l'enfant. Il s'écarta :

— Mon maquillage, maman...*

La vaisselle rangée, elle passa dans la chambre d'Antoine. Sur la table l'attendaient encore un paquet de tabac, une liasse de feuilles de papier fin, la boîte à savon désaffectée. Elle s'assit devant ces objets de chaque jour. Mais elle ne songeait pas à travailler. Sa main atteignit parmi les brochures dactylographiées un bouquin à couverture de toile noire : *Jack*. Elle l'ouvrit, le feuilleta, cherchant les passages où figurait cet enfant dont Christian jouait désormais le rôle. Le volume était illustré de gravures grisâtres et maladroites : un d'Argenton* aux moustaches flottantes, une Ida de Barancy* au visage charbonneux, un Jack à taille de gnome... Elle parcourut une page, deux pages, referma le livre. Elle avait beau s'affirmer que les héros de cette triste histoire n'avaient jamais existé, que leurs aventures mêmes étaient peu vraisemblables, elle ne pouvait s'empêcher de s'affliger de leur sort. Et, par un ricochet soudain,* cette pitié, dédiée d'abord à des fantômes, la ramenait à son fils. Elle n'admettait pas qu'il sût mimer une pareille détresse sans l'éprouver vraiment. Sans doute, les souffrances qu'on lui imposait de feindre devenaient-elles graduellement ses propres souffrances. Sans doute, se sentait-il accablé déjà par un passé qu'il n'avait pas connu, effrayé par un avenir qu'il ne connaîtrait pas. Sans doute, ne pouvait-il plus se retrouver hors de son personnage. Et, de tout cela, elle était seule fautive.

Que n'avait-elle mieux insisté auprès d'Antoine pour qu'il abandonnât son projet ! Que n'avait-elle mieux présenté combien elle estimait indigne qu'un intérêt pécuniaire les guidât seul dans cette entreprise !* Mais il lui avait parlé aussi d'une carrière glorieuse pour le petit, et elle avait cédé... Pourtant, elle ne croyait pas à cette carrière. Malgré les affirmations de son mari, les récits de Christian, les échos que les journaux publiaient déjà sur les prises de vue, elle ne parvenait pas à prendre cette aventure au sérieux. Le métier d'acteur, comme les autres métiers, supposait une étude ingrate et longue, un essai modeste, une ascension laborieuse vers l'épanouissement conscient et vénérable de la vedette.* A suivre cette filière, Antoine avait acquis une science avisée qui, certainement, le rendait l'égal des plus grands. Elle estimait qu'il devait attendre beaucoup de l'avenir. Mais le petit !... Les événements s'étaient déroulés trop rapidement pour qu'on pût attacher une importance définitive à ses débuts. Un engouement passager du public les marquerait peut-être... Et après ?... Que ferait-elle s'il lui revenait ennuyé, hautain, dédaignant la vie qu'il avait jadis menée auprès de ses parents ? Bien des enfants eussent réagi de la sorte après l'expérience dangereuse qu'il traversait. Mais il n'était pas semblable aux autres. Elle le connaissait. Elle n'avait pas le droit de le croire capable d'aucune vilenie. Elle n'avait pas le droit d'être malheureuse. Il était même odieux qu'elle cherchât une raison de l'être alors qu'elle en avait cent de ne l'être pas !

Elle se leva, passa dans la salle de bains. Il y régnait une chaleur humide de buanderie. Des chaussettes aux pieds ridés et tordus pendaient le long du radiateur. Elle les enroula dans une serviette et revint dans la chambre, serrant le ballot contre son ventre. Puis, elle s'assit près de la fenêtre, déplia le paquet sur ses genoux et se mit à raccommoder.

Tout un après-midi de solitude et de réflexion ! Bien
sûr, elle aurait pu accompagner le petit aux prises de
vue. Mais Antoine avait été engagé pour une synchronisation qui l'occupait à longueur de journée et elle
n'osait pas retourner seule au studio.

Autour d'elle, la pièce était calme, obscure, abandonnée à ce chaud désordre masculin qu'elle aimait
parce qu'il gardait la marque d'une chère présence. Des
rumeurs touffues bordaient le silence de l'appartement.
Piaillements d'un marmot, bruit de pas, claquement
d'une porte. Le radiateur fuyait et, à intervalles réguliers,
une goutte tombait, cristalline, dans la soucoupe disposée
sous le tuyau. Dans la cuisine, le réveille-matin tintait,
avec l'importance ennuyée d'un métronome. Le jour
baissait lentement, noyant les ombres dans son ombre.

Elle alluma la lampe, reprit son travail. L'œuf de
bois,* glissé dans la chaussette, passait sa coque jaune
par le trou. L'aiguille filait d'un bord de la déchirure à
l'autre, tendait une légère trame noire sur le fond verni.
De temps en temps, elle aplatissait les points d'un tapo-
tement de dé, soupirait, secouait ses épaules engourdies
et se penchait de nouveau sur son ouvrage. Et, pendant
que ses yeux suivaient le voyage régulier du fil, les
mêmes images lui revenaient à l'esprit. Elle désirait le
retour d'Antoine et de Christian qui romprait cet isolement insupportable.* Mais Antoine ne rentrait qu'à sept
heures et Christian, au plus tôt, à sept heures et demie.
Dès six heures, cependant, elle s'affairait, descendait
acheter du pain, préparait les couverts, dressait le décor
de leur arrivée.*

Ils venaient enfin, l'un et l'autre, fourbus, exubé-
rants, projetés hors d'une vie passionnante.

Antoine mangeait comme quatre, buvait sec, parlait
haut :

— Ils affirment que j'ai le timbre de Charles Boyer,*

au micro... Pour moi, ils se trompent... J'ai l'organe plus
velouté, plus étouffé... Compare un peu...

Il proférait gravement :

— « Non, nous n'avons pas gagné la bataille !... »
« Non, nous n'avons pas gagné la bataille !... » Boyer
disait... Tu m'écoutes ?...

Et il répétait d'un ton plus rauque :

— « Non, nous n'avons pas gagné la bataille !... »
« Non, nous n'avons pas gagné la bataille !... » Tu
saisis la différence ? D'ailleurs, ils sont emballés ! Ils
parlent de me confier le doublage* de Johny dans le
Tueur de Gay Street ! Et toi, mon petit, ça marche toujours ? Il n'a pas l'air de rechercher les extérieurs, ton
Despagnat !

— On part dans quinze jours.

— Seulement ?

— On serait parti plus tôt si Monica n'avait pas
saboté la scène de mon retour. Ce qu'elle peut être
nulle cette fille-là ! Aujourd'hui, Despagnat a passé toute
sa matinée à lui expliquer la différence qu'il y a entre
un « non » négatif, comme il dit, et un « non » inter-
rogatif !... Oui, tu sais bien, quand je lui parle de la pension, elle doit m'interrompre par des « non ? »...
« non ? »... comme une personne étonnée, quoi ! Rien à
faire ! Elle sortait des « non »... « non », avec l'air de
me dire : « c'est pas vrai ce que tu racontes là ! » On
a recommencé six fois le bout de dialogue ! Enfin, elle
a piqué une crise de nerfs. L'habilleuse l'a entraînée dans
sa loge, Despagnat l'a suivie ! Sels, compresses, etc. !...
Résultat, on a dû changer le texte ! Ce que j'ai pu me
marrer !...*

Il se dandinait,* les mains coincées entre son derrière
et sa chaise, le dos en boule, la tête rentrée dans les
épaules.

— Ce que j'ai pu me marrer !... Ce que j'ai pu me marrer !...

— Mange ! Tu parleras après, disait Jeanne.

— Je n'ai pas faim. Et tu sais, Degal, qui reprend le rôle de Jack dans la seconde partie du film,* je l'ai vu aujourd'hui : quelle gueule de clown !

— Christian !

— Une vraie gueule de clown, maman ! Des yeux qui font roue libre !* Un nez en truffe ! Des dents en mots croisés !... Si c'est comme ça que Despagnat se représente Jack à vingt ans ! Ils ont répété une scène avec Monica dans la loge : c'était fendant ! Il force tous ses effets, il insiste, il...

— Je te trouve sévère, dit Vautier. Il est très facile de critiquer les autres. Quand tu te verras à l'écran !...

— Eh bien ? J'ai déjà vu quelques bouts du film. Je ne casse peut-être rien,* mais, en tout cas, j'ai un jeu discret... un jeu rentré... C'est Despagnat qui me l'a dit...

— Tu sais, Despagnat m'agace un peu avec son histoire de « jeu rentré » ! On rentre surtout ce qui ne vaut pas la peine d'être sorti ! Un type qui a quelque chose là (il se tapa la poitrine), ça se sent tout de suite, parce qu'il ne peut pas rester une minute avec un visage de suisse !* Veux-tu que je te dise ? Despagnat, c'est un impuissant de la pellicule !...*

—C'est pas toi qui l'as inventé ! C'était dans un canard* la semaine dernière !...

—Que le mot soit de moi ou d'un autre, cela ne change rien à la chose ! Tu as tort de déboulonner* des types qui ont de la classe comme Degal, et de t'emballer sur des simili-grands bonshommes comme Despagnat ! Un point c'est tout !...

Christian s'ébouriffa les cheveux d'une claque, secoua le front.

— Au fond, si tu savais ce que je m'en balance* de toutes ces histoires !...

Et il rit doucement. Elle les regardait, le père et le fils, assis l'un en face de l'autre, les coudes sur la table, les visages rapprochés, et discutant et riant, comme deux francs camarades qui se comprennent à demi-mot. Et elle était heureuse de cette entente chaque soir publiée.

Antoine parlait à présent. Et Christian approuvait à lents hochements de tête, les sourcils froncés, les paupières écarquillées pour lutter contre l'assoupissement qui le gagnait.

— Tu dors sur ta chaise, mon pauvre chéri, dit Jeanne. Va te coucher.

— Penses-tu ! Je ne suis pas fatigué ! J'ai simplement quelque chose dans l'œil !

Il tendait vers la lumière un visage las, aux prunelles éteintes. Il marmonnait d'une voix annulée de sommeil :

— Demain, on va rigoler : je tourne la visite à la pâtisserie et Despagnat m'a promis qu'on nous servirait de vraies tartes sur le set... Comment que je vais la rater, cette scène-là, pour qu'on la recommence souvent !...

Il avait un rire enroué, frappait mollement du plat de la main sur la table, baissait le nez sur la poitrine, chassait un profond soupir et se taisait enfin.

Antoine clignait de l'œil à sa femme.

— Christian ! appelait-il.

L'enfant continuait de souffler régulièrement. Alors, Antoine empoignait le garçon sous les aisselles, Jeanne lui prenait les jambes et tous deux le transportaient dans sa chambre à petits pas latéraux, pendant qu'il balbutiait des paroles incohérentes et remuait les bras.

Puis, ils le déposaient sur le lit et commençaient à lui ôter ses vêtements. Mais il se raidissait tout à

coup, dressait la tête, et ses paupières péniblement soulevées découvraient un regard morne :

— Je ne veux pas me coucher, bafouillait-il. Quelle
heure est-il ?

— Minuit, affirmait Antoine avec une sérénité parfaite. Nous avons bavardé trop longtemps ce soir. Moi-
même, je ne tiens plus debout.

Satisfait, Christian refermait les yeux et se laissait
déshabiller sans plus tenter un geste de révolte. Jeanne
l'aidait à se glisser sous les draps, le bordait étroitement,
éteignait la lampe et se retirait, suivie d'Antoine, sur
la pointe des pieds :

— Dors !

Mais il ne parvenait plus à dormir, à présent qu'on
l'avait couché. Un agacement joyeux le tenait éveillé,
l'esprit vague, le corps rompu. Il se répétait avec une
délectation vaniteuse les compliments qu'il avait reçus
dans la journée. Il revoyait l'habilleuse, piaulant,* les
mains jointes et les prunelles révulsées : « Jésus ! Marie !
Joseph ! Ce que vous avez pu me faire pleurer aujour-
d'hui, monsieur Christian ! » Et Despagnat, le prenant
à l'écart pour lui confier brusquement : « Continue
comme ça, mon petit ! c'est tout ce qu'on te demande. »
Et ce journaliste qui l'interrogeait entre deux prises de
vue : « Comment la vocation vous est-elle venue ? »
D'autres encore.

A dire vrai, l'admiration de ces étrangers n'était pas
faite pour le surprendre. Il avait toujours pensé qu'il
était un être exceptionnel et qu'un avenir prodigieux
l'attendait à quelque branche de l'activité humaine qu'il
se consacrât.* Il était singulier, sans doute, que les gens
se fussent aperçus aussi rapidement de ses qualités
artistiques et l'eussent engagé pour tourner ce film alors
que, la veille encore, il n'avait jamais mis les pieds
dans un studio ; mais ce choix soudain, cette réussite

surprenante, s'harmonisaient assez bien avec l'image qu'il s'était toujours faite de sa destinée. Au reste, il était parfaitement satisfait de son sort. L'existence active qu'il menait le changeait tellement du paisible régime scolaire qu'il s'étonnait d'avoir pu supporter aussi longtemps la classe grise, les devoirs de robinets et de trains, les leçons d'histoire... A présent, il croyait participer à quelque étrange partie de plaisir. On l'habillait, on le maquillait, on le priait de mimer les peines, les joies d'un petit garçon ; et chacun de ses gestes et chacune de ses paroles étaient enregistrés avec soin ; et pendant qu'il jouait ce rôle, toutes les lumières, tous les regards, toutes les pensées étaient dirigés sur lui. Des inconnus s'occupaient de lui, espéraient en lui, le critiquaient, le jugeaient, l'admiraient, alors qu'à la maison sa mère n'avait jamais pu le laisser débiter une tirade sans l'interrompre aussitôt sous quelque prétexte futile. Quelle merveilleuse revanche !

La joie était en lui comme un vertige léger. Il se sentait stupide d'orgueil, de force, de santé, de tendresse. Il sourit, chercha de la joue une place fraîche sur l'oreiller. Il faisait chaud. Un poste de radio jouait en sourdine au-dessus d'eux : il n'est pas minuit, songea-t-il. Dans la chambre voisine, il entendait la voix de son père, répétant son rôle pour le lendemain, et la voix de sa mère qui lui donnait la réplique :*

— « Puis-je vous demander de monter dans mon auto, Clara ? » disait Antoine.

— « Puis-je vous demander de monter dans la mienne, William ? » répondait Jeanne.

Le colloque se poursuivait dans ses oreilles, et les paroles, d'abord distinctes, se fondaient bientôt dans une plane rumeur de marée.* Il fermait les yeux, avec la sensation de réfléchir très exactement à une question importante. Mais, en vérité, il dormait déjà.

Une teinte bleue d'une pureté lavée, lacustre,* lunaire, envahit l'écran, et le mot « fin », lancé hors du vide, explosa en larges lettres blanches sur le champ de couleur.

Aussitôt, les accords mugissants des orgues déferlèrent comme des vagues de fond, pour clore la présentation du film à la presse. Mais, la musique furieuse ne s'était pas apaisée que les applaudissements éclataient déjà. Ils partaient en rafales crépitantes et se mêlaient dans un roulement formidable de tombereau.

Dans la salle, graduellement rendue à la lumière, Jeanne voyait le public dressé, acclamant, trépignant. Elle se rejeta sur le dossier de son fauteuil. Elle n'en pouvait plus. Une joie convulsive la possédait. Son cœur battait à coups brusques dans sa poitrine. Son visage brûlait, comme penché sur une flamme. L'air fuyait ses lèvres, la clarté ses yeux. De ses paumes tremblantes elle essuya ses joues trempées de sueur et de larmes.

— Poudre-toi, coiffe-toi, chuchotait Antoine. Tu es ridicule...

Lui-même s'était levé, et secouait ses pantalons et le bas de sa veste pour en détacher les lambeaux du programme nerveusement déchiqueté pendant la projection. Il était pâle, et ses paupières clignaient rapidement :

— S'ils continuent leur chahut, Despagnat sera obligé de saluer, et Christian aussi, peut-être...

Elle regardait, dans cette loge lointaine, Despagnat assis de profil et, derrière lui, la silhouette immobile de Christian. Mais elle ne distinguait pas les figures à travers la fumeuse lumière jaune. Elle dit :

— Ils ne le reconnaîtront pas...

Cependant, les visages se tournaient déjà vers la baignoire.* Au balcon, des spectateurs se penchaient, montraient du geste le coin de la salle. Et les applaudissements, qui avaient baissé dans un doux bruit de flot qui se retire, s'amplifiaient soudain. Une voix de femme piailla quelque chose que Jeanne ne comprit pas, mais que d'autres voix répétèrent. Despagnat se dressa dans un lent mouvement maladroit, déhanché, salua d'un plongeon du buste. Une fois. Deux fois. Puis, Jeanne le vit tendre la main vers Christian, et le désigner en secouant la tête. Les applaudissements redoublèrent, troués de cris.

Jeanne, debout, dévisageait avec une expression d'illuminée* cette foule tournée vers son fils pour l'acclamer. Tous ces inconnus venus dans cette salle avec leur ennui, leur suffisance, leur hargne de chaque jour, voici que son petit les avait soudainement charmés ! Voici qu'ils l'admiraient sans réserve, ce gamin que, la veille encore, ils ne connaissaient pas ! Voici qu'ils proclamaient son triomphe ! Ah ! qu'elle les aimait ces visages anonymes, piqués sur la masse sombre du public, ces mains sonores, infatigables, dont les battements semblaient les battements mêmes de son cœur. Elle avait envie de les remercier, de leur expliquer, de leur crier qu'elle était la mère de Christian et qu'elle était heureuse au-delà de ses forces ! Près d'elle, un vieux monsieur chauve au visage soufflé, au regard perdu sous l'eau bleue d'un lorgnon, s'exclamait, penché vers sa voisine :

— Un gosse étonnant... étonnant, ma chère ! Je ne trouve pas d'autres mots : étonnant !

Elle l'aurait embrassé ! Et ces deux hommes, devant elle, que disaient-ils ? Elle n'entendait pas. Le vacarme glorieux couvrait toutes les conversations. Et elle eût voulu les entendre toutes ! Car tout le monde parlait de son fils ! Et ce soir, ces gens dispersés aux quatre coins de la ville parleraient encore de son fils ! Et demain aussi ! Et les autres jours ! Et personne, bientôt, n'ignorerait rien de cette victoire !

Mais elle remarqua soudain que l'ovation se calmait, se perdait dans une rumeur de toux, de pas, de voix, de rires. Le vieux monsieur chauve avait cessé d'applaudir. Il aidait sa voisine à enfiler un manteau à doublure de feu. Et d'autres aussi s'étaient arrêtés d'applaudir autour d'elle. Certains se dirigeaient déjà vers la sortie. Il lui semblait que c'était une trahison et qu'elle ne saurait plus accepter le silence. Elle ne put s'empêcher de frapper ses paumes l'une contre l'autre.

— Voyons, Jeanne ! Ce n'est pas à nous d'applaudir, dit Antoine.

Docile, elle laissa retomber ses mains ouvertes ; mais, du talon, elle tapait le pied de son fauteuil.

— Tu viens ?

— Attends encore ! je ne vois plus ni Christian, ni Despagnat.

— Ils sont dans le hall sans doute.

Des spectateurs qui sortaient les bousculèrent.

— Viens donc !

Dans le hall, cerné de glaces dorées et encombré de colonnes aux fûts de verre dépoli, une foule lente, patiente, se pressait. Des hommes en habit, le visage poisseux de sueur, mais le plastron neigeux et les reins cambrés, des femmes, les omoplates en liberté, mais les hanches prises dans des robes collantes qui paraissaient trempées, lourdes et lustrées d'eau. Une odeur de cigarettes et de transpiration distinguée. Une rumeur de parlote polie, de volière réservée, de débarcadère élégant.*

— Je ne les vois pas, dit Jeanne.

Elle se dressait sur la pointe des pieds, tendait le cou.

— Regarde : au bas de l'escalier.

Elle tourna la tête et, au-dessus des épaules, elle aperçut le crâne verni du metteur en scène qui se penchait et se relevait dans un mouvement d'encensoir :

— Dépêchons-nous...

Elle se dirigea vers lui. Elle avançait de profil, le ventre avalé, le bras tendu pour écarter les gens sur son passage. Antoine s'excusait pour elle, à mi-voix :

— Pardon, monsieur... Pardon, madame...

Au pied d'un vaste escalier en forme de lyre, tendu d'un tapis écarlate et bordé de rampes en tubes chromés, Despagnat, Christian, Monica, paraissaient lutter contre un encerclement concerté de la foule. Despagnat, la face luisante, la cravate déviée, serrait des mains, s'exclamait, remerciait, présentait Christian, Monica. Christian s'inclinait, gauche, le regard fuyant, Monica renversait la tête et baissait les yeux dans une expression d'extase défaillante à chaque compliment qu'on lui adressait.

Comme Antoine et Jeanne arrivaient près du groupe, une vieille dame au visage flasque, fardé à vif et emboîté dans une épaisse chevelure blanche à coulées mauves, piaulait :

— Maintenant, je ne pourrai plus voir le petit Jack auutrement que sous vos traits charmants ! Vous m'avez privée d'imagination pour le restant de mes jours ! Je vous en veux, je vous en veux, je vous en veux ! Ha ! ha ! ha !

Une autre, sèche, au long nez masculin, l'interrompit :

— Quelle impression éprouviez-vous à vous voir agir, parler sur l'écran ?

Et, sans lui donner le temps de répondre, elle acheva :

— Un dédoublement de la personnalité ? C'est l'avis de tous les acteurs ! Et maintenant... maintenant... *Vous sentez-vous Vautier ou vous sentez-vous Jack* ?

— Je ne sais pas, bredouillait Christian.

— Il ne sait pas !... Il est admirable !... Ses deux vies sont tellement mêlées l'une à l'autre qu'il ne sait plus s'il est Jack ou Vautier !... Vous avez entendu la réponse du petit Vautier, Serge ?...

— Un écho tout trouvé pour *l'Essor féminin*, ma chère ! dit un petit homme barbu et le nez chaussé de lunettes carrées.

— C'est Pradier, murmura Antoine.

— Qui ?

— Pradier, le rédacteur de *la Voix*.

Un seul rang d'invités les séparait encore de Christian. Jeanne s'inséra bravement entre les épaules imbriquées.* Antoine la suivit, chuchotant :

— Surtout, ne va pas féliciter Christian... ou l'embrasser... Telle que je te connais, tu en serais bien capable !...

— Maman !

Il s'était échappé vers elle et l'interrogeait, la voix basse :

— Ça t'a plu ?

Elle n'eut pas le temps de répliquer. La vieille dame à cheveux blancs et à face peinte les rejoignait déjà, s'écriait :

— Vous êtes la mère de notre jeune prodige, madame ? Quel enfant sublime et comme vous avez le droit d'en être fière ! Pradier, venez faire connaissance avec la vraie maman du faux petit Jack !*

— Faut-il que votre fils ait du talent, madame, pour

jouer à la perfection ce rôle d'infortuné, alors qu'il a la chance de posséder une mère aussi certainement aimante, aussi évidemment prévenante que vous !...

— Moi, minaudait une petite bonne femme blonde, je voudrais bien savoir les sentiments de la maman Vautier envers la maman de Jack ? Haine ou pitié ? Dites ?

— La première chose à faire, dit un monsieur long et décoré, c'est de présenter les deux mamans l'une à l'autre ! Monica ! Monica ! la mère de votre fils est là qui voudrait vous dire deux mots !

Et il éclata d'un rire creux et cascadé, sans presque remuer les lèvres.

Jeanne écoutait ces plaisanteries absurdes, regardait ces visages étrangers et une gêne éperdue la gagnait. Elle savait qu'il fallait prononcer des phrases choisies, remercier, sourire... Mais elle craignait que ses paroles, que ses gestes, ne parussent ridicules à des personnes aussi évidemment importantes et bien élevées. Elle marmonnait :

— Vous êtes trop aimable... vous êtes trop aimable...

Une conscience aiguë lui revenait de sa robe sombre et défraîchie, de ses mains courtes de ménagère. Elle rougissait de sentir le regard du petit posé sur elle, comme pour déceler son trouble et la juger. Certes, elle éprouva un soulagement réel à voir Antoine et Despagnat se rapprocher du cercle des curieux. Antoine paraissait très à l'aise, parlait harmonieusement et sans chercher ses mots, félicitait Despagnat sur le découpage* et sur le montage* du film, s'enquérait de la longueur de pellicule sacrifiée.* Mis en présence des admirateurs de son fils, il fut charmant. Il raconta sur Christian des anecdotes inventées de toutes pièces, mais avec une telle assurance que Jeanne elle-même faillit être dupe :

— Un soir, je rentre dans la chambre du petit et

je le trouve en train de pleurer. — « Qu'as-tu, mon petit ? » — « Je pense que demain je dois m'enfuir de la pension sous la pluie battante, et qu'on me recueillera dans une carriole, et que je serai toujours malheureux !... » Et de sangloter, et de sangloter le nez dans son coude !...

Tout le monde se récria :

— Pauvre chou !

— On est tellement sensible à cet âge !

Jeanne craignait que Christian ne protestât contre cette légende, ou ne marquât, du moins, un étonnement révélateur. Mais il se balançait toujours d'une jambe sur l'autre, les mains dans le dos, le visage fermé. Et, vraiment, qu'il acceptât ce mensonge publicitaire la chagrinait un peu. Après avoir souhaité que se prolongeât indéfiniment cette éclatante soirée, elle désirait tout à coup retrouver l'appartement réduit, la cuisine modeste où, loin de tous, elle pourrait savourer sa joie. Elle murmura :

— Partons, Antoine !

Mais il répliqua :

— Il n'en est pas question !... Nous ne pouvons pas laisser tomber ces gens !... Songe à la carrière du petit !...

Ils soupèrent en ville avec Despagnat, Monica, Pradier et d'autres personnes qu'ils ne connaissaient pas. Ils rentrèrent tard. Antoine avait un peu bu. Dans le taxi qui les ramenait, il afficha une satisfaction émue. Il embrassait Jeanne et Christian gravement :

— Un grand jour ! Un grand jour ! disait-il. Le plus grand jour de ma vie !...

Sa voix tremblait et des larmes éloignaient étrangement son regard.

— Le grand film est-il commencé ? demanda Jeanne.

— Depuis dix minutes, madame, répondit un chasseur* vêtu en généralissime.

— Nous aurons donc manqué tout le début ! conclut-elle avec une simplicité tragique,* tandis que Mme Goulevin se justifiait hâtivement :

— Il faut m'excuser, madame Vautier... Je ne pouvais pas venir plus tôt... Vous savez ce que c'est, quand on a des gosses... Et mon mari qui est malade avec ça... Des névralgies intercostales !... Ma belle-mère est venue le soigner cet après-midi...

Comme elles pénétraient dans la salle obscure, le visage, la voix de Christian les accueillirent : son visage aux longs cheveux de fille occupait tout l'écran, sa voix, plus grave qu'à l'ordinaire, prononçait dans la nuit peuplée, soufflante, fumante, les phrases que Jeanne connaissait par cœur :

« — J'ai eu beaucoup de papas... papa Charles... papa Léon... des papas pour rire, vous savez... parce que mon père à moi est mort, il y a bien longtemps... »

Chaque jour, Jeanne revenait voir le film accompagnée d'une amie, d'une voisine. Et, pendant toute la durée du spectacle, elle jouissait de leur admiration généreusement affichée. Elle leur racontait par avance le sujet de la bande,* leur signalait les passages qu'elle esti-

mait déchirants, les éclairait sur la personnalité des
acteurs, citait quelques phrases d'articles à l'éloge de son
fils, parlait « fondu »,* « rythme », « sonorisation »...

— Préparez-vous à pleurer, madame Goulevin ! dans
quelques instants vous verrez la mort de Madou, le petit
nègre. Le gosse qui joue le rôle de petit nègre n'a rien
à faire. Il dort... il meurt en dormant : c'est l'enfance de
l'art !... Mais Christian !... Tenez, le voici qui entre dans
la serre où repose Madou... Regardez quel visage
crispé !... Quelle... quelle tristesse !... Quelle... Non ! je
ne peux pas voir ça !...

Et vraiment, chaque vision du film renouvelait en
elle cette pitié idolâtre. La pensée que tous les jours,
plusieurs fois par jour, son fils appelait à l'aide, se déso-
lait, pleurait sur cette toile, la tourmentait, comme si
Christian eût véritablement recommencé de souffrir à
chaque séance. Elle était gênée aussi que le premier
venu, moyennant le prix d'un fauteuil,* pût jouir du
spectacle de ce désespoir. Elle avait l'impression qu'une
action barbare se perpétrait devant elle, qu'on livrait au
public quelque chose d'intime, de fier, de préservé, dont
il n'était pas digne. Elle se promettait de ne plus
retourner au cinéma. Mais elle savait bien qu'elle ne
pourrait résister à l'appel de la salle obscure et que le
lendemain la retrouverait assise face à l'écran, commen-
tant à voix basse, pour une amie docile et fascinée, les
scènes prodigieuses qui se dérouleraient sous leurs yeux.

— Et voilà, madame Goulevin ! Madou est mort. Le
pauvre petit Jack a perdu son meilleur camarade...

Mme Goulevin tamponnait ses paupières sèches* avec
le coin de son mouchoir, reniflait, toussotait :

— Ah ! c'est bien triste... bien triste, tout ça !

— Et ce n'est rien encore ! vous verrez ses mésaven-
tures avec d'Argenton !

Vers le milieu du film, elle déclara :

— A présent, on va vous montrer Jack à l'âge de vingt ans. Seulement, ce n'est plus Christian qui joue le rôle, bien sûr ! C'est Degal. Il n'est pas très fameux... Si vous voulez nous pouvons partir...

— Mais j'aurais aimé rester jusqu'à la fin, balbutia l'autre.

— A votre guise... Seulement, je vous préviens, la deuxième partie est assez médiocre... Pour moi, j'ai du travail à la maison... Je suis très pressée... Je m'en vais... Passez me voir dès que vous aurez le temps...

Elle prit congé, se leva, traversa le parterre bondé d'une humanité attentive, et se retrouva dans la rue.

Le jour baissait. Une pluie drue fauchait l'ombre. Sur la façade, deux portraits énormes de Christian et de Monica peints sur bois et encadrés de tubes au néon tendaient à l'averse leurs joues roses et leurs yeux démesurés de nocturnes.* Devant la caisse, des gens faisaient la queue pour la seconde séance ; et les derniers arrivés étaient relégués sur le trottoir, piétinant, pataugeant dans les flaques. Elle adressa une pensée amicale à ces personnes rangées en file et qui se résignaient à une attente interminable dans le seul espoir d'admirer à leur tour l'image fameuse de son fils. Enfin, elle s'éloigna.

Elle trouva Christian assis en tailleur sur le divan de sa chambre et feuilletant des magazines artistiques à monstrueuses photos de sépia. Elle dit :

— Bonjour, mon chéri. J'ai rencontré Mme Goulevin qui revenait du Mondial-Palace...*

Jeanne cachait à son fils qu'elle accompagnait ses amies aux projections du film. Elle craignait qu'il ne se moquât d'elle en l'apprenant et ne lui reprochât ce besoin qui la possédait de glaner chaque jour de nouveaux hommages.

— Alors ? ça lui a plu ? grommela-t-il sans lever les yeux.

— Beaucoup. Elle était transportée !...

Il l'interrompit :

— Quel tube à pommade,* ta madame Goulevin ! Tiens, j'ai reçu les nouvelles critiques de l'*Argus* :* si tu veux les coller...

Elle saisit l'enveloppe verte bourrée de papiers et la vida sur la table.

— C'est bon ? demanda-t-elle.

— Ça se tient.

L'une après l'autre, elle cueillait les coupures de journaux, les dépliait, parcourait vivement le résumé du film et s'attardait aux dernières lignes de l'article qui détaillaient et louaient le jeune talent de son fils. Les expressions banales prenaient à ses yeux une qualité singulière. Que le chroniqueur parlât de « potentiel de souffrance », de « souplesse d'interprétation », de « profondeur trouble », de « génie à l'état brut », de « puissance intuitive », ou d' « intuition puissante », aucun de ces éloges ne lui paraissait surprenant, incompréhensible ou immérité. Elle se grisait de cette littérature hâtive et brillante au point d'en perdre doucement la tête. Rien ne subsistait en elle de ces doutes absurdes sur les mérites de Christian et sur l'opportunité qu'il y avait pour lui d'abandonner ses études pour se consacrer à une carrière artistique. Il lui semblait même que ces inquiétudes n'avaient jamais existé, qu'elle s'était toujours attachée à le pousser dans la voie où il s'illustrait à présent.

— A quoi penses-tu, maman ?

— A rien, mon chéri, à rien...

Elle prit dans le tiroir l'album à forte couverture de toile, les ciseaux, le pot de colle. Elle découpait et collait les articles avec une application d'écolière.* Parfois, avisant une critique moins favorable que les autres, elle hésitait un instant, puis la déchirait, la jetait dans la corbeille à papier. Elle disait :

— Je ne sais pas si je saurai caser tout l'article de *la Voix* sur une seule page... à moins de le plier en accordéon, peut-être... mais ce n'est guère commode...

Et, à la dérobée, elle regardait Christian et s'interrogeait sur les sentiments étranges qu'elle éprouvait à son égard. Elle ne l'aimait plus avec la même simplicité paisible qu'auparavant. L'idée qu'un enfant dont toute la presse s'accordait à reconnaître le génie vivait à ses côtés, subissait sa présence, ses paroles, ses caresses, l'effrayait un peu. Une humilité nouvelle se mêlait à son affection sans la combattre. Son amour se muait en adoration.* Son orgueil se compliquait d'abaissement. Elle ne soignait plus son fils, elle le servait. Elle lui vouait toutes ses ambitions, toutes ses pensées. Et, telle la mère d'un dieu, secrètement terrifiée et publiquement glorieuse, elle ne savait comment mériter l'écrasant bonheur qui lui était échu.

Toute à ses réflexions, elle ne vit pas son mari entrer, traverser la chambre et se pencher sur elle.

— Tu colles les articles ?

Elle sursauta :

— Oui...

Il en prit un dans le tas, le balaya d'un regard distrait, secoua la tête et le reposa sans rien dire.

Il était fatigué, énervé.* Il avait envie de raconter sa journée et qu'on le comprît et qu'on le plaignît et qu'on l'admirât un peu. Mais Jeanne collait ses articles et Christian lisait son journal. Ni l'un ni l'autre ne songeaient à le questionner. Il dit :

— Dans une semaine au plus j'aurai terminé mon doublage !...

— Oui ? prononça Jeanne, d'une petite voix étale* qui lui ôta l'envie de poursuivre son récit.

Et elle ne leva pas les yeux de ses paperasses.

Il poussa la porte de sa chambre. A leur place habituelle, il vit le paquet de tabac, les feuilles de papier fin, l'étui à savon désaffecté, mais il était vide. La table n'était pas mise. Il en éprouva une certaine humeur et le désir rageur de prendre encore sa femme en défaut. Il chercha dans le tiroir la boîte de cachets, l'ouvrit. Elle n'en contenait plus qu'un seul. Il avait coutume d'en absorber deux avant le repas. Il dit :

— Il ne reste plus qu'un cachet, Jeanne.

— Eh bien ! je t'achèterai une nouvelle boîte demain, cria-t-elle de la pièce voisine.

Simplement. Elle ne s'excusait pas. Elle ne s'étonnait pas. Il lui paraissait naturel de n'avoir pas vérifié la provision de cachets. Antoine se sourit amèrement dans la glace, roula une cigarette, la saliva, l'alluma. Il avait l'impression que cette minute marquerait dans sa vie une imperceptible laideur, une infinie déchéance. Il n'aurait su dire pourquoi, d'ailleurs.

— Tu peux commencer à mettre le couvert, Antoine.

Avant même d'avoir retiré son chapeau, son manteau, elle dit :

— Christian a manqué sa leçon de chant parce que Despagnat l'a convoqué pour quatre heures chez lui. Peut-être veut-il lui parler d'un nouveau film ? Il cherchait des capitaux pour monter *Le Petit Prince Mirka*. Tu sais bien... cette histoire qui se passe dans les Balkans... Tu as lu le scénario la semaine dernière... Tu as même dit qu'il te plaisait...

— Oui, oui... en effet...

Elle tenait à la main un bouquet de roses blanches enveloppées dans un cornet de papier transparent. Elle déplia le paquet, disposa les fleurs dans un vase.

— Tu les as achetées ?

— Non.

— On te les a offertes ?

— Oui.

— Qui ?

— Ah ! voilà ! Un monsieur !... un beau monsieur !...*

Et, comme il paraissait se désintéresser de l'aventure, elle cria dans un rire :

— C'est Christian...

Puis, elle le toisa avec une expression de fierté coquette, de jubilation narquoise. Mais il gardait la tête basse et se taisait.

— Tu as des ennuis ? dit-elle.

— Ce n'est pas moi qui synchroniserai *Le Tueur de Gay Street*...

— Pourquoi ?,,,

— Ils prennent quelqu'un d'autre simplement... Et sais-tu qui ?... Je te le donne en mille !... Boivin !...

Il se délivrait de sa rancune avec une frénésie amère :

— Ils m'ont annoncé la nouvelle à deux heures... Oh ! sans le moindre ménagement, comme on congédierait un domestique !...

Elle s'était assise sur le divan. Elle l'écoutait, le visage grave, les mains croisées sur les genoux. Et, de sentir ce calme regard posé sur lui mêlait une certaine douceur à son chagrin. Il la devinait sensible à chaque mot, à chaque silence, suspendue vraiment aux épreuves qu'il traversait. Il n'était pas seul. Il n'avait jamais été seul.

— Je ne vois pas pourquoi tu te désoles, dit-elle. Boivin est très mauvais. Il ne fera certainement pas leur affaire. Ils te reprendront...

Elle manquait de conviction. Mais cette maladresse même était un charme puisqu'elle lui prouvait à quel point sa peine était partagée. Il n'avait pas besoin d'autre chose, il ne désirait pas autre chose, ni même être moins malheureux. Au vrai, il craignait que ne s'altérât cette minute merveilleuse.

— N'est-ce pas bizarre ! dit-il. Il a suffi que je te raconte cette affaire et déjà me voilà plus tranquille...

Elle eut un mince sourire à lèvres closes, inachevé, sérieux, et murmura :

— Il faut toujours tout me raconter... toujours tout me dire...

Mais elle s'arrêta net, le visage frappé de ravissement. Elle écoutait la montée soufflante de l'ascenseur, coupée à chaque étage par un déclic de gâchette :*

— Tu entends ? C'est peut-être Christian...

L'appareil s'immobilisa dans un claquement de portes vitrées.

— C'est lui !

Elle s'élançait déjà vers l'antichambre.

Christian entra, rouge, le manteau défait, le béret basque sur l'oreille et Jeanne le suivait :

— Alors ? Qu'a-t-il dit ?

Le gamin s'effondra sur une chaise, les jambes ouvertes et raides, les pieds en équerre.* Il renifla profondément.

— Tu es enrhumé ? demanda Jeanne.

Il secoua la tête et prononça d'une traite :

— Je crois qu'on va tourner *Le Petit Prince Mirka* !

Jeanne, transfigurée, le souffle saisi, balbutia :

— C'est sûr ?

— Presque... Ça se décide la semaine prochaine...

— Mon Dieu ! Mon Dieu ! tu entends ce qu'il dit, Antoine ?

Fiévreusement, elle débarrassait Christian de son manteau :

— Raconte !... Raconte !... Il faut t'arracher chaque nouvelle !...

Elle était devenue toute pâle et ses yeux flambaient d'une joie vaniteuse.

— Que veux-tu que je te dise ? Je suis venu chez Despagnat... Il a été très chic... Il m'a parlé du film... Il m'a montré les maquettes des costumes...

— Quel costume auras-tu ?

— Pour la ville, le costume des collégiens d'Eton et pour les parades un truc impossible avec des brandebourgs, des bottes vernies et un chapeau de fourrure.

— Je suis sûre que ça t'ira très bien !

Antoine observait sa femme avec anxiété. Qu'elle se trouvait loin de lui tout à coup ! De cette tristesse qu'elle avait certainement connue auprès de lui, de cette compassion, de cet accord, il ne restait rien maintenant. L'arrivée de Christian avait rompu le charme. Elle s'était tournée vers son fils avec une allégresse oublieuse, avec

un secret soulagement, peut-être ! Elle parlait, question-
nait, riait. Et cet intérêt, cette satisfaction lui faisaient
mal. Mais il se reprocha bientôt ce ressentiment.* N'était-
il pas naturel qu'elle se réjouît des succès de l'enfant ? Ne
fallait-il pas qu'il s'en réjouît lui-même ? Il essaya de se
mêler à la conversation :

— Pour qui sont les autres rôles ?

— Monica, bien sûr, peut-être Degal...

— Il devrait changer !

— Tu sais, quand on tient une bonne formule, il
vaut mieux l'exploiter jusqu'au bout ! dit Jeanne.

Cette phrase l'irrita soudain au point qu'il serra les
mâchoires et détourna la tête.

— Oui..., oui... sans doute, dit-il cependant.

Il s'efforçait de parler avec chaleur. Mais les mots
qu'il disait sonnaient faux à ses oreilles et son visage,
pensait-il, devait trahir une indifférence coupable. En
vérité, il ne parvenait pas à entrer dans le jeu. Mais
Jeanne était tellement heureuse qu'elle ne s'en apercevait
pas. Et le petit non plus, d'ailleurs. Personne ne s'occupait de lui. Il ne retenait l'attention de personne.

— Si nous achetions une bouteille de mousseux* pour
fêter la bonne nouvelle ? dit Jeanne.

Christian se dressa d'un bond :

— J'y vais.

— Reste, dit-elle. Tu es fatigué. Ton père ira bien...

Dans la rue, il respira longuement, la bouche ouverte,
les yeux clos, comme un homme qui cherche à se dégriser.
Et, très vite, une honte lui vint de son égoïsme, de sa
faiblesse, un désir de rachat puéril et délicieux. Il entra
chez le marchand de vin, consulta le catalogue et
demanda une bouteille de champagne de marque* au
lieu de la bouteille de mousseux qu'il avait mission de
rapporter.

Antoine se regarda dans la glace.* Il était vêtu de neuf, rasé à vif, poudré jusqu'au lobe des oreilles, et le serre-tête qu'il venait de quitter avait laissé une raie rose en travers de son front.

De la pièce voisine, arrivaient les voix mêlées de Mme Bousquet, de Mme Goulevin et de Jeanne. Elle avait invité ses deux amies à prendre une tasse de thé simplement, mais en leur laissant pressentir une surprise : Despagnat, qui avait accompagné Monica et Christian à l'essayage,* ramènerait le petit en auto ; et, sans doute, monterait-il dire bonjour aux parents de son jeune interprète vers la fin de l'après-midi. Ces dames étaient venues à trois heures.

Antoine écoutait distraitement leur caquetage* et demeurait planté devant le miroir. A se voir aussi élégamment nippé, il éprouvait une satisfaction désenchantée qui l'étonnait. (Ce complet récemment commandé, ces préparatifs de cérémonie, cet air de fête alors qu'il n'y avait pas de fête pour lui, quelle dérision !) L'idée lui revenait que c'était grâce au petit qu'ils avaient pu acquitter le loyer, payer les dettes, acheter quelques meubles, s'habiller... Lors de ses visites triomphales chez les fournisseurs, à la joie de voir ces grimaces rogues* se délier dans un sourire amène se mêlait déjà l'amertume de régler les notes avec un argent dont on n'ignorait pas dans le quartier la provenance. Certains même le félicitaient, lui demandaient s'il n'allait pas à son tour « décrocher la timbale ».* Et il riait. Et il leur répondait : « Pourquoi pas ? » Mais la honte montait en lui comme un étouffement.

Il poussa la porte. Assises près de la fenêtre, Mme Goulevin et Mme Bousquet feuilletaient l'album d'articles et Jeanne, penchée sur elles, commentait les textes gravement. Elles levèrent la tête.

— Vous êtes d'une élégance ! modula Mme Goulevin, les lunettes dardées et les mains jointes sur son corsage vidé.

Mais Jeanne enchaînait déjà :

— Ça, c'est un article en allemand... Vous en avez un autre, à droite, en italien... Tournez la page... Celui-ci vient d'Amérique...

— En toutes les langues alors ?

— En toutes les langues ! Vous pensez bien qu'un film comme *Jack* a une répercussion mondiale... mondiale...

Elle parlait à mi-voix, avec une lenteur et un détachement* sensationnels de grande dame :

— Vous ne connaissez pas quelqu'un qui sache le hollandais ? Nous avons une longue critique en hollandais et personne ne peut nous la traduire ! N'est-ce pas comique ? Veux-tu m'apporter la critique en hollandais, Antoine. Je ne l'ai pas collée. Elle est dans le tiroir... Regardez, voici des photos de Christian entre deux prises de vue... Il n'est pas maquillé là-dessus...

— Pas maquillé ? Quel amour ! roucoulait Mme Goulevin. Dire qu'il y a quelques mois à peine, je le traitais de galopin* parce qu'il ne renvoyait jamais l'ascenseur et qu'à présent je regarde sa photo dans les journaux !

— Moi, confiait Mme Bousquet, chaque fois qu'on

me parle de film je m'arrange pour amener la conversation sur Christian. Et, lorsque les gens apprennent que je le connais, ils ne me lâchent plus ! Il faut que je leur explique comment il est, où il habite, qui il fréquente...

Antoine, penché sur la table, feignait de chercher l'article. Mais, en vérité, il observait le groupe des trois femmes à la dérobée. Il détaillait férocement le visage étroit, décollé, glaiseux de Mme Goulevin, la grosse face élargie en poire luisante de Mme Bousquet, leur accoutrement des grands jours, leur voix haut perchée. Il jugeait leur curiosité mesquine, insipides leurs réflexions ! Et Jeanne mendiait pourtant l'attention des deux idiotes, renchérissait sur leurs flatteries, reniflait cet encens bon marché, au point d'en perdre le contrôle d'elle-même. Il se souvenait de réunions analogues, au cours desquelles on avait vanté son talent comme on vantait aujourd'hui le talent de Christian. Jamais elle n'avait eu pour le soutenir cette ardeur aveugle qu'elle affichait à présent. Bien sûr, les succès qu'il avait remportés paraissaient bien modestes auprès de ceux que remportait son fils. Tout de même, ces considérations n'expliquaient pas qu'on le négligeât de la sorte. On aurait dit vraiment qu'il n'existait plus, que rien n'existait plus hors le petit, qu'il n'y avait plus d'autre sujet de conversation, plus d'autre sujet de pensée que le petit ! L'opinion, l'activité, les projets d'Antoine Vautier n'intéressaient personne ! Il pouvait jouer ou ne pas jouer, parler ou ne pas parler, on s'apercevait à peine du changement !

La voix de Mme Goulevin coupa ses réflexions.

— Plutôt que de chercher cet article, monsieur Vautier, vous devriez nous raconter un peu ce que vous devenez ! Travaillez-vous toujours ? Etes-vous content ?

Une allégresse rapide le traversa. Il se redressa, repoussa le tiroir et s'apprêtait à répondre déjà, lorsque Jeanne dit vivement :

— Il a été obligé de quitter sa place à la suite d'une histoire odieuse...*

— Et maintenant ?

Il se tenait devant elles, embarrassé, fâché. Il dit :

— Maintenant ?... Maintenant... eh bien ! je cherche... Je n'ai encore rien trouvé, mais je cherche... J'ai plusieurs propositions en vue... Je cherche... J'attends...

Il y eut un silence gêné que personne ne sut rompre d'un mot. Puis, Jeanne enchaîna soudain :

— Christian reçoit beaucoup de lettres d'admirateurs. Certaines sont bien touchantes. Cela vous amuserait sans doute de les lire. Sur la cheminée, Antoine, dans la grande boîte jaune...

Il obéit. Il apporta la grande boîte jaune et regarda les trois femmes se passer les feuillets, les parcourir, s'exclamer, s'esclaffer. Il se sentait engourdi et stupide. Il songeait que l'attention, dont il se plaignait qu'on le privât, venait de lui être accordée et qu'il n'avait rien su répondre. Et il n'avait rien su répondre parce qu'en vérité il n'y avait rien à répondre. « Je cherche... j'attends... » Il cherchait, il attendait. Toute sa vie, il avait cherché, attendu ce que son fils avait trouvé dès l'abord.

— Cinq heures ! Nous pourrions prendre le thé sans eux, dit Jeanne.

Il dut s'asseoir entre Mme Goulevin et Mme Bousquet, passer les tasses, offrir les petits fours, ramasser les serviettes qui glissaient des genoux, louer le talent de Despagnat, critiquer le talent des autres metteurs en scène, parler, parler...

A six heures et demie, ces dames se levèrent pour prendre congé, et Jeanne s'excusait déjà de n'avoir pu leur présenter l'attraction promise, lorsque trois coups de sonnette retentirent.

— Les voilà !

Despagnat, Monica, Christian firent leur entrée dans

une rumeur de compliments, de protestations, d'explications, de plaisanteries et de rires.

— Nous hésitions à monter parce que nous craignions de vous déranger : c'est Christian qui nous a entraînés, dit Despagnat.

— Et il a bien fait ! Voulez-vous passer ?

— Mais comme c'est charmant chez vous ! gloussait Monica.

— Oh ! Mademoiselle, vous vous moquez ! protestait Jeanne. C'est tout à fait simple !... Vous ne retirez pas votre manteau ?

— Non, je vous remercie : nous sommes vertigineusement pressés.* Nous vous faisons une visite-éclair ! Je ne devrais même pas m'asseoir, mais ce fauteuil a l'air tellement confortable ! Non, pas de thé, pas de petits fours ! Pour l'amour du ciel, n'insistez pas...

Mme Goulevin et Mme Bousquet, rangées près de la porte, contemplaient avec un ravissement scandalisé cette femme au visage éclairé de fards, aux yeux de fraîche ombre verte, et toute nimbée de fourrures mousseuses* et tout isolée de parfums.

— Madame Goulevin et Madame Bousquet vous ont tellement admirée dans votre film, dit Jeanne, que j'ai dû leur promettre...

— Vraiment ? Mais que c'est donc aimable à vous, mesdames, et comme je suis touchée !...

— Alors, ces costumes ? demanda Vautier.

— Ra-a-vissant, vocalisa la jeune femme. L'uniforme de parade de Christian est une perfection !...

— Ouais ! La tunique est tellement serrée à la ceinture qu'elle me fait un derrière en pupitre !...

— Ne l'écoutez pas, ne l'écoutez pas ! reprit-elle. Il est de mauvaise humeur parce qu'il est fatigué ! Moi aussi, d'ailleurs, je suis fatiguée... Tenez... vous allez rire : je voudrais fuir loin des gens, loin du bruit,

m'enfermer dans une petite chambre nue aux murs
passés à la chaux, et rester là, des journées entières,
à réfléchir, à rêver, me nourrissant d'un œuf à la coque
et d'un fruit !*

— Les murs passés à la chaux seraient vite recou-
verts de numéros de téléphone, d'adresses et de dates
de rendez-vous ! dit le metteur en scène.

Elle rit, la tête renversée et les paupières battantes :

— Comment voulez-vous prendre de bonnes résolutions avec un être pareil ?

— Comment voulez-vous qu'il vous encourage dans
ces « bonnes résolutions » lorsqu'il a besoin de vous
pour son prochain film ? dit Vautier.

Elle le menaça du doigt :

— Vous ! je sens que vous devez toujours avoir le
dernier mot dans une discussion. Vous êtes dangereux !

Et elle rit de nouveau, d'un rire grelottant de gamine.

Il la regarda avec reconnaissance. Il avait un tel
besoin d'être écouté, apprécié, qu'un véritable soulagement lui venait d'avoir déclenché ce rire.

Jeanne s'adressait à Despagnat d'une voix exagé-
rément respectueuse :

— Je viens de lire le scénario du *Petit Prince Mirka :*
un chef-d'œuvre !

— Oui, l'histoire est amusante, disait l'autre. Par
exemple, Christian aura un rôle écrasant !

Antoine intervint :

— A ce point de vue-là, soyez tranquille : je m'occuperai de lui. Je le ferai répéter. Je lui donnerai des
indications...

Mais Despagnat secoua la tête :

— Non... non, ce n'est pas la peine... Il vaut mieux
le laisser sentir le personnage à sa façon... Vous risquez
de lui faire perdre en naturel ce que vous lui ferez

gagner en métier... Il sera emprunté, guindé... Il jouera...
Je ne sais pas si je me fais bien comprendre ?...

— Parfaitement, parfaitement, bredouillait Vautier.
Pourtant, je ne lui aurais donné que quelques conseils
essentiels...

— Aucun conseil n'est essentiel... Livrez-le à lui-
même, c'est le meilleur guide qu'il puisse espérer
trouver...

Les femmes s'étaient tues pour les écouter. Antoine
éprouvait une détresse insurmontable. Il désirait que
le metteur en scène se rétractât, ou prît congé sans plus
prononcer une parole. Mais l'autre insistait d'une voix
douce :

— Je vais même vous demander quelque chose :
promettez-moi qu'il travaillera seul... J'y tiens beaucoup...
Et ce n'est pas une lubie... C'est le résultat de réflexions,
d'expériences...

— Comptez sur moi, souffla Antoine, la gorge sèche,
le regard mort.

— Comptez sur moi plutôt !* cria Jeanne. Tel que
je le connais, il viendra tout de même sermonner le
petit si je ne le surveille pas !

Tout le monde rit de cette boutade. Et Antoine rit
comme les autres, un peu trop fort, un peu trop
longtemps.

— Vous venez d'entendre *l'Usurpateur,* comédie en un acte de Raymond Brienne, avec M. Antoine Vautier dans le rôle de l'usurpateur, et M. Georges Guéretain dans le rôle de l'ami. Cette représentation vous est offerte par les *Pilules Rono.* « Contre les troubles intestinaux, prenez les *Pilules Rono.* » Veuillez écouter à présent notre chronique de la mode féminine par M. Louis Filâtre.

Le speaker se tut, revint à sa table chargée de paperasses. Un gros homme, aux cheveux rares et roses, aux lèvres bourrelées,* s'approcha du micro et commença d'une voix de fillette :

— Mes chères auditrices, un point sur lequel je désire attirer aujourd'hui votre attention...

Guéretain et Vautier quittèrent la pièce. Mais, dans le vestiaire, un haut-parleur diffusait encore les paroles de l'autre.

— *L'Usurpateur* casé entre les prévisions météorologiques et la chronique de la mode ! Ah ! on peut dire qu'ils nous ont bien mis en valeur, les vaches ! grogna Vautier.

Ils traversèrent une salle d'attente où un orchestre de quinze musiciens déballait ses instruments dans une rumeur de cordes pincées, de cuivres heurtés, descendirent l'escalier et gagnèrent la rue.

Dans la nuit froide, seules vivaient les taches jaunes brouillées de rose des réverbères, et, très loin, irradiant des affiches lumineuses, une lueur mauve, immobile et sombre de hauts fourneaux. Quelques passants se hâtaient, le col relevé, les mains dans les poches, et ils semblaient fumer à grosses bouffées dans l'air glacé. Les autos roulaient dans un doux bruit de feutre qu'on déchire.

— Viens prendre quelque chose, dit Guerétain. On gèle...

Le bistrot était petit, surchauffé, encombré d'un comptoir monumental au zinc dépoli. Ils passèrent dans la salle du fond que le garçon dut éclairer pour eux seuls. Un billard drapé de gris, avec le bout de craie bleue posé sur le bord du meuble. Des queues de billard dressées en panoplie, de part et d'autre d'une fenêtre. Une odeur fumeuse, liquoreuse, qui prenait à la gorge.

— Deux crèmes.*

Guéretain rejeta son chapeau sur la nuque, ouvrit son manteau, son veston, son gilet, car d'être boutonné le gênait, disait-il, pour boire. Puis il avala son café par courtes gorgées, les sourcils levés, les paupières clignées. Enfin, il reposa le verre à demi vide, se chauffa un instant les mains à sa fumée et déclara :

— Hier soir, je suis allé revoir *Jack* au Mondial-Palace, avec ma femme et des copains qui ne connaissaient pas encore le film. Eh bien ! c'est pas de la roupie de sansonnet,* ce morceau-là ! Une classe ! Une grande classe !

Antoine, qui avait beaucoup admiré le film lors de sa première projection, s'irritait à présent que d'autres que lui l'admirassent. Un brusque revirement d'humeur le poussait à juger excessifs les éloges des étrangers, et il s'efforçait de leur expliquer leur erreur, de les raisonner, de les gagner à cette lucidité qu'il croyait avoir définitivement conquise.

— N'exagérons pas, dit-il. La production est bonne dans l'ensemble, mais elle souffre de lenteurs inexcusables...

— Non, mon petit vieux ! protestait Guéretain. Je te félicite de la modestie* avec laquelle tu parles du film qui a lancé ton fils ! C'est très sympathique ! C'est très élégant ! Mais, avec moi, tu n'as pas besoin de faire de frais :* avoue que la réussite est tout de même parfaite.

Vautier s'impatientait. Se moquait-on de lui ? Se pouvait-il que personne n'eût remarqué les défauts de la bande ? Vingt scènes lui revenaient à l'esprit, plus absurdes les unes que les autres. Il dit avec une espèce de fureur goguenarde :

— Allons donc ! Souviens-toi du passage où d'Argenton lit ses vers en public : est-ce assez lourd, assez plat ! Et du passage où Jack s'enfuit de la pension pour retrouver sa mère : une pluie de studio, un jeu déficient ! Et de celui même où Jack assiste à la mort de Madou : du sentimentalisme pour midinette* en chasse !...

Il s'arrêta, craignant que Guéretain ne s'étonnât de son comportement. L'autre secouait la tête :

— Tu es dur, dit-il enfin. Mais cela vaut mieux pour Christian. Il ne faut pas qu'il se laisse griser par le succès. Une bonne bourrade* de temps en temps, vlan, dans les reins ! C'est à cette école-là qu'on forme les grands artistes !

Il avala encore une gorgée et conclut :

— Enfin, tu as bien de la chance, toi ! Tu n'as plus à t'en faire, maintenant que Christian est lancé ! L'appartement payé ! Le bifteck assuré !* Et hardi donc ! Que pourrais-tu désirer de plus ?

Antoine sentait une colère triste l'envahir. Ainsi personne n'admettait qu'il pût n'être pas comblé par la seule renommée de son fils, qu'il pût espérer autre chose que cette renommée, qu'il pût souhaiter pour lui-même le succès auquel, certes, il avait droit ? Tous ceux qui lui parlaient oubliaient l'artiste pour ne s'occuper que du père. Il n'y avait pas deux artistes dans la famille. Il y en avait un : Christian. Un autre avait existé jadis, mais il disparaissait à présent dans le rayonnement du jeune prodige. Et, sans doute, il ne souffrait pas de cet effacement imposé ! Il eût été comique qu'il en souffrît ! L'idée même qu'il risquât d'en souffrir n'effleurait pas l'esprit ! Mais comme tous ces gens étaient maladroits et bêtes ! Comme il les détestait de ne rien deviner en lui ! Ceux-là même qui avaient été ses meilleurs amis !... Bien sûr qu'il aimait Christian ! Bien sûr qu'il se réjouissait de sa réussite ! Mais il n'abandonnait pas sa carrière pour suivre docilement la carrière de son fils et l'applaudir et le conseiller. Il ne s'avouait pas vaincu. Vaincu ? Comme s'il y avait eu vraiment combat entre eux ! Cette idée seule l'épouvantait ! A force de multiplier leurs propos, les gens finiraient par le dresser contre le petit, contre Jeanne, contre tout le monde ! Déjà, les réponses fielleuses qu'il avait faites à Guéretain lui paraissaient autant de signes redoutables ! Ah ! qu'on le laissât tranquille, qu'on ne lui parlât plus de rien, c'était tout ce qu'il demandait !

Mais Guéretain poursuivait avec une cruauté innocente :

— Au fond, tu pourrais aussi bien plaquer le métier !

C'était le comble. Antoine reçut la secousse en plein cœur. Il gronda :

— Quoi ? Quoi, plaquer le métier ? Sous prétexte que Christian a du succès je plaquerais le métier ?

D'abord, crois-tu qu'il gagne tellement, le petit ? Une fable ! Et même... et même s'il gagnait beaucoup... serait-ce une raison suffisante à mes yeux pour ne plus jouer ? Je ne joue pas seulement pour assurer ma croûte, moi ! Je joue parce que j'ai besoin de jouer, parce que je ne pourrais plus m'empêcher de jouer, parce que c'est la seule chose qui compte pour moi, tu m'entends ?

Guéretain trempait un morceau de sucre dans son café et le suçait à petits appels de langue mouillés et gloutons :

— La seule chose qui compte ! n'exagérons pas, dit-il. Tu m'as répété cent fois que tu te sentais prêt à laisser ton travail pour n'importe quel autre mieux payé ! Souviens-toi : « Il n'y a que le public pour croire à la vertu de l'art ! » Et encore : « Le grand art n'est pas de bien interpréter un rôle mais de découvrir chaque jour, à heure fixe, de quoi se mettre sous la dent ! »

Antoine écoutait avec stupeur. C'était vrai qu'il avait dit cela. C'était vrai qu'il avait pensé cela. Il mesurait en esprit le chemin parcouru depuis ces quelques mois. Il avait fallu que Christian fût engagé par Despagnat, que le film se révélât un triomphe, qu'on lui rebattît les oreilles d'éloges qui ne lui étaient pas destinés, pour qu'il prît conscience enfin de son attachement au théâtre. Mais comment avait-il pu ignorer que le théâtre était sa seule raison de vivre, qu'aucune sensation ne remplacerait jamais pour lui l'ivresse de paraître sur une scène inondée de feux, étranger à lui-même par le maquillage et par les vêtements, et d'imposer ses tourments, ses joies, ses colères à des centaines de personnes attentives ? Et il importait peu qu'il n'eût goûté ce trouble que sur des scènes secondaires, devant des assemblées médiocres, dans des rôles qu'il exécrait. Nul métier, nul gain, nul confort, nulle volupté amoureuse ne valaient cette volupté-là !

Guéretain, craignant de l'avoir froissé, l'assurait d'une voix prévenante :

— Il ne faut pas te fâcher, mon petit vieux. Je te comprends parfaitement : moi-même, je suis capable de tout laisser tomber pour une place honnêtement rétribuée...

— Imbécile ! Tu ne le ferais pas ! Tu ne le ferais pour rien au monde ! Tu ne t'en rends pas compte encore, parce que l'occasion ne s'est pas présentée, mais tu verras... Ou plutôt tu ne verras rien, car il ne viendra jamais à l'idée de personne de te proposer un autre emploi que celui d'acteur ! Des gueules comme la tienne découragent les gens sérieux !

Il éclata de rire et jeta une pièce sur le marbre du guéridon :

— Viens ! il est tard. Jeanne m'a promis d'écouter *l'Usurpateur* à la T. S. F.,* chez les Bousquet. Ça m'intéresse d'avoir son opinion.

— Non, dit-elle, je ne suis pas allée chez les Bousquet. J'ai attendu Christian qui n'est rentré qu'à dix heures, et ensuite nous avons bavardé tous les deux un bon moment... D'ailleurs, cela vaut mieux ainsi... Ça les dérange, ces gens, que je leur rende visite chaque fois que tu joues à la radio... Il ne faut pas abuser...

Elle était assise près de la table et feuilletait un catalogue de vêtements pour garçonnets avec des échantillons d'étoffe collés sous les dessins de mode. La lampe descendue éclairait le bas du visage et les mains courtes, posées de part et d'autre de la brochure. Elle dit encore :

— Au reste, je suis sûre que tout a très bien marché...

Un désenchantement terrible le prenait. Se pouvait-il

qu'elle fût restée à la maison, malgré sa promesse, et sans autre excuse que la crainte d'importuner les Bousquet ? Et lui qui avait espéré des paroles de douceur, d'intelligence, d'admiration retrouvées ! Lui qui n'avait joué que pour elle, dans l'impression très tendre d'être écouté par elle et de lui plaire ! Lui qui s'était figuré qu'elle attachait encore quelque importance à son travail ! Comme il souffrait de cette exaltation dont la vanité s'affirmait soudain ! Il balança un instant entre le parti de se plaindre et celui, plus honorable, de feindre l'indifférence. Il dit, dans un grand effort :

— Tu as bien fait... La pièce était mauvaise... Je n'étais pas en voix...

Elle corna une page,* rangea le catalogue. On entendit grincer le sommier dans la pièce voisine sous le poids de Christian qui se retournait dans son lit.

— Ferme la porte, dit-elle.

Comme il revenait, elle prononça d'un air comblé et solennel :

— J'ai une nouvelle à t'annoncer, Antoine. Une grande nouvelle. Une bonne nouvelle.

Il faisait sauter dans sa paume des billets d'autobus roulés en boule :

— Parle !

— Pas comme ça... Assieds-toi... Donne-moi tes mains...

Elle avança son visage au point qu'il voyait de tout près cette peau blanche, molle, où les rides marquaient à peine et ces grands yeux immobiles d'un éclat de pierre mouillée :

— Ecoute... Une surprise...

Il ricana :

— Que de mystère !

— Despagnat tient beaucoup à Christian. Il l'admire. Il ne lui refuse rien. J'ai pensé que si le petit lui demandait de te confier un rôle dans le film il ne pourrait qu'accepter. Pas un premier rôle, bien sûr... Mais pas une silhouette non plus... Quelque chose entre les deux... Eh bien ! Christian lui a parlé ce soir, et l'affaire est réglée ! Tu joueras le précepteur du petit prince.* C'est un emploi de comique, mais... mais qu'as-tu ?...

Il s'était levé, pâle, la bouche ouverte et il haletait un peu.

— Qu'as-tu ? dit-elle encore.

Il proféra d'une voix à peine perceptible :

— Je ne veux pas.

— Pourquoi ?

— Tu n'as pas besoin de savoir... Je te dis que je ne veux pas... C'est donc que j'ai mes raisons...

Elle le pressait, maladroite :

— Tu n'aimes pas le rôle ?

N'avait-elle pas conscience de l'humiliation qu'elle lui infligeait ? Il dit au hasard :

— Peut-être...

— Mais tu es ridicule, mon chéri. Si on t'avait offert cet emploi quelques mois plus tôt...

— Quelques mois plus tôt j'aurais marché.

— Qu'y a-t-il donc eu de changé depuis ?

Il fut sur le point de lui dire combien il souffrait de n'obtenir cet engagement que sur la recommandation du gamin et qu'il lui fallût se contenter de jouer un personnage épisodique dans un film où son fils avait la vedette. Mais la certitude d'être incompris le retint. Il murmura :

— Avant, je pouvais accepter n'importe quoi... Maintenant, avec la situation du petit, je me dois d'être plus exigeant... Ce n'est pas très reluisant pour lui d'avoir un père qui joue les utilités...

Il échafaudait ce pauvre mensonge à courtes phrases hachées, les yeux bas, la face suante et il entendait le sang battre dans ses oreilles à grands coups. Il ne se pouvait pas qu'elle le crût! Il ne se pouvait pas qu'elle admît ce prétexte, qu'elle ignorât la blessure qu'elle lui avait portée et la triste jalousie qui le possédait! Avouer? A la dérobée, il regarda ce visage sérieux. Non, elle ne soupçonnait toujours rien. Il poursuivit :

— C'est pour lui... pour lui seul, tu comprends, que j'hésite... ça peut lui nuire...

Mots magiques! Inquiète, elle interrogea :

— Tu crois?

Mais elle se ressaisit aussitôt, secoua la tête :

— Non, Despagnat l'aurait prévenu. Et, pour toi, c'est très intéressant!*

Il eut un sourire las.

— Ne souris pas! dit-elle. Le personnage est mince, bien sûr, mais tu peux te faire remarquer! Tu me disais toujours qu'il n'y avait pas de petit rôle! Tu me citais même l'exemple de Mounet-Sully* qui...

Il entendit un bruit de pieds nus derrière la porte. Le gosse les écoutait peut-être. Cette idée lui fut insupportable. Il s'appuya des deux poings au dossier de la chaise :

— Je ne jouerai pas!

— Mais c'est impossible, Antoine : Christian a demandé, a insisté...

« Demandé, insisté... » Chaque mot le frappait horriblement.

— Despagnat a promis... Peut-être avait-il quelqu'un d'autre en vue... on ne sait pas... Et puis, tout à coup, tu refuserais?... Mais de quoi aurions-nous l'air?... De mufles... de vrais mufles... Et la carrière du petit...

La carrière du petit! Argument décisif. On ne pouvait rien répliquer. Il fallait se soumettre, puisque la carrière du petit était en jeu. Une marée furieuse se retirait en lui, le laissait épuisé, écœuré.

— Alors ?

— Alors... Puisqu'on ne peut pas faire autrement...

— Je ne voudrais pas que tu considères cela comme une obligation...

Cette coquetterie verbale l'irritait.

— Je t'en prie, grommela-t-il, n'en parlons plus.

Il essuya son visage à pleines mains, ouvrit le col de sa chemise comme s'il étouffait.

— Tu es fatigué ? Veux-tu boire un peu de thé ? Je vais te préparer une infusion...

Elle sortit. La solitude l'inonda, le rafraîchit comme une brise. Guéretain, sa femme : deux assauts qui l'avaient rompu. Mais combien d'autres lui faudrait-il encore soutenir ? Un autobus passa, ébranlant les vitres. Le pas de Jeanne dans la cuisine. Elle approchait. Elle entrait. Et, de nouveau, il était sur ses gardes.

— « Altesse, l'adverbe *essentiellement* s'écrit avec deux « s », deux « l » et un seul « m »... »

— Pourquoi prenez-vous cette voix de ventriloque et ce visage bouleversé, Vautier ? cria Despagnat. Vous corrigez la dictée de votre élève. Vous lui indiquez très simplement ses fautes...

— Mais je dois être ému, puisque la leçon a lieu en présence du roi !

— Pas au point d'exhiber ce vibrato caverneux et ce masque de dragon chinois. Recommencez.

De nouveau, Antoine s'approcha de la table à dorures massives, s'inclina respectueusement devant son fils et prononça :

— Altesse, l'adverbe *essentiellement*... »

— Et pourquoi cette courbette de larbin ? Indiquez à peine le mouvement. Allons ! reprenez à partir de votre entrée...

Cela durait depuis une demi-heure, peut-être. Depuis une demi-heure, ses moindres gestes, ses moindres intonations suscitaient les critiques implacables de Despagnat. Il détacha son regard du visage aigu, plâtré à l'ocre de Christian et le dirigea sur le coin du studio où, mêlée à la foule obscure des machinistes, des journalistes, des électriciens, Jeanne suivait les prises de vue. Dire qu'il avait espéré la surprendre par une interprétation magistrale de son rôle et que Despagnat lui-même le féliciterait ! Quelle farce ! Chaque minute apportait une humiliation nouvelle. Et elle assistait à sa défaite. Et elle approuvait peut-être les remarques du metteur en scène. Et elle regrettait peut-être d'avoir insisté pour qu'Antoine acceptât cet emploi. Ah ! que n'eût-il donné pour qu'elle ne fût pas venue, pour qu'elle ne soupçonnât rien ! Ce visage qu'il ne voyait pas derrière la muraille éblouissante des projecteurs et qui exprimait sans doute le mépris, l'ennui... Mais un autre visage était livré à ses yeux, et sur celui-là, du moins, il pouvait lire. Il fixa Christian furieusement. Le calme fatigué de cette face le révolta : le gamin ne s'étonnait pas de cet échec. Il trouvait la chose logique, naturelle. Mais voici que souriait soudain cette figure de jeune diable. Et cela était plus atroce que son détachement. Il n'accepterait pas que l'enfant se moquât de lui. Il fallait lui dire... Il lui dirait... Quelle lassitude !... Il était à bout de nerfs, à bout de forces. Un goût de fard et de sel lui brouillait la bouche, ses yeux brûlaient, des tremblements le parcouraient tout entier comme une fièvre.

— Vous vous donnez trop, Vautier. Jouez plus légèrement, plus sobrement...

Et Jeanne et Christian entendaient ces paroles ! Une dernière fois, la honte au cœur, il récita le texte stupide.

— « Altesse... »

Despagnat s'était approché de l'opérateur et ils échangèrent quelques mots à mi-voix. Puis, il se tourna vers Antoine :

— Au fait, j'ai réfléchi : il n'est pas indispensable que vous soyez dans la chambre du petit prince lorsque le roi vient lui rendre visite. La scène a l'air de vous embarrasser et je la trouve inutile. Christian travaillera seul devant sa table et Degal...

Ce fut comme une gifle. Il bredouilla :

— Mais non, la scène ne m'embarrasse pas... je... je la sens bien mieux, maintenant... je peux la jouer...

— Ce n'est pas la peine.

Il avait supporté qu'on le corrigeât, mais ce refus poli, ce blâme déguisé le bouleversaient. Il perdait la tête :

— Voulez-vous... voulez-vous que j'essaie encore ?... Je vois très bien ce que vous désirez... Plus d'aisance...

— Même interprétée à la perfection, votre scène alourdirait le film, dit Despagnat.

Et, déjà, il lui faisait signe de s'éloigner.

Il s'éloigna. Il connut le supplice de traverser le plateau assommé de lumière, bordé de regards et de retourner à l'ombre d'où il était venu.* Comme un aveugle, il heurta la table de la script-girl, buta contre le pied d'un projecteur. Mais, à son désespoir, se mêlait un soulagement obscur. C'était fini. Le moment le plus dur était passé. Il ne se pouvait pas qu'une plus douloureuse épreuve lui fût dans l'avenir réservée.

Jeanne. Elle était assise près d'un monceau de planches et il distinguait mal son visage dans la nuit. De quel air, de quels mots accueillerait-elle son retour défait ? Il s'approcha. Elle lui tendait un mouchoir :

— Tu es tout trempé, mon chéri. Essuie-toi. Veux-tu t'asseoir sur un coin de ma chaise ? N'ouvre pas ton gilet...

Il soufflait, reniflait, comme une bête rendue. Il tamponnait son visage avec le mouchoir souillé de maquillage et de sueur. Elle dit encore :

— Au fond, Despagnat a raison. La scène était inutile. Et je ne l'ai jamais trouvée drôle ! Peut-être aussi as-tu un peu trop chargé le personnage !

Immédiatement, il se fâcha :

— Pas du tout ! Je lui ai donné des dessous que Despagnat ne prévoyait pas ! Et cela l'a dérouté ! Un piètre bonhomme !* Un crétin ! Je m'étonne que tu l'admires !...

Déjà, il regrettait ces injures, mais c'était la première critique qu'il recevait d'elle et ce nouveau signe de reniement l'effrayait. Il voulut se rétracter. Il commença :

— Jeanne...

Elle posa un doigt sur ses lèvres :

— Ecoute, lui dit-elle. Ils reprennent la scène.

Il vit la porte monumentale s'ouvrir à deux battants et Degal entra, sanglé dans un uniforme rutilant d'opérette. Christian, penché sur le bureau, écrivait, la bouche entr'ouverte, la main gauche prise dans les cheveux. Il leva la tête. Il parla.

Et, à chaque geste, à chaque réplique du petit, Antoine espérait que Despagnat l'arrêterait d'une observation péremptoire. Mais l'autre se taisait, laissait dire, laissait faire. Tout était bon à présent qu'il ne s'agissait plus de lui ! Et pourtant, que de choses il y aurait eu à reprendre dans le jeu de l'enfant ! Dans le jeu ? Il ne jouait même pas. Il récitait son texte avec une voix étouffée et un visage placide. Il déblayait. Et c'était cela qui convenait à Despagnat ! C'était cela qu'il admirait ! C'était cela qu'ils admiraient tous ! Mais n'importe qui eût été capable d'en faire autant ! N'importe quel gamin de la rue ! N'importe quel camarade de Christian ! Le petit Goulevin, le petit Stève...

Dans son dos, deux hommes vêtus de manteaux en poil de chameau et coiffés de feutres clairs discutaient à voix basse :

— Il a plus d'aisance encore que dans *Jack*... Un artiste... Un artiste né...

Les imbéciles ! Et de lui qu'avaient-ils pensé ? Ce que tout le monde pensait, sans doute : « Il joue lourd... Il souligne les effets... La vieille école !... » Ils le faisaient rire, avec leur histoire de vieille école ! Comme s'il y avait deux écoles ! Comme si chacun ne jouait pas selon son tempérament ! Comme si l'interprétation frigide du gamin n'était pas le signe d'une âme pauvre et l'interprétation tourmentée d'Antoine celui de l'ardeur spirituelle qui le dévorait ! Il savait ce qu'il valait, peut-être, après vingt ans de théâtre ! Il n'y avait pas de commune mesure entre lui qu'on ignorait et ce gamin qu'on portait aux nues ! L'attention extasiée de ces étrangers lui était insupportable. Il la jugeait imméritée, gaspillée, volée ! Tous ces regards enchantés, toutes ces respirations suspendues : quel renversement des valeurs ! Et il ne pouvait pas se plaindre ! Il devait même paraître heureux puisque c'était son fils qui recueillait leur hommage !

— C'est bon, dit Despagnat. On va tourner comme ça.

Il n'avait jamais détesté personne comme il détestait tout le monde aujourd'hui. La sensation qu'il ne saurait plus rester une seconde parmi ces gens sans leur crier son mépris, sa haine. Fuir. Il demanda :

— Vous n'avez plus besoin de moi ? Je peux me changer ?

— Mais oui, dit Despagnat. Seulement, à deux heures, soyez sur le plateau : on tourne la promenade dans le parc.

Un nouveau supplice en perspective. Il serra les dents. Il partit.

Il retrouva la petite loge livide qu'il partageait avec deux camarades. Personne. L'habilleuse même était sur le set. Il s'affala sur une chaise, face au miroir.* Il voyait devant lui sa grosse figure spongieuse, moite, aux petits yeux larmoyants. Il entendait sa respiration torturée. Et une immense détresse montait en lui qu'il ne cherchait pas à combattre. Il plongea ses mains dans une cuvette pleine d'eau, se mouilla le visage, la nuque. Puis, machinalement, il commença de se déshabiller.

Le soir, après les prises de vue, il prétextait quelque rendez-vous pour éviter de rentrer avec Christian et Jeanne. La seule idée de s'asseoir à table entre sa femme et son fils et de subir leur jubilation bavarde le glaçait. Comment supporter ce rappel des moindres événements de la journée, des moindres éloges adressés au petit, des moindres progrès accomplis par le petit, des moindres espoirs qui s'ouvraient devant le petit,* cet épluchage* quotidien d'un bonheur auquel il ne participait pas ? Il préférait se réfugier dès sept heures dans quelque café d'artistes, manger un sandwich, boire demi sur demi,* et regagner la maison le plus tard possible, fourbu, la tête pesante, la bouche mauvaise, la gorge éraillée d'avoir trop parlé. Dans ces cafés, tout le monde le connaissait et il connaissait tout le monde. Il était écouté. Il était consulté. Pourtant cette notoriété même lui était amère puisqu'il ne la devait pas à son propre mérite, mais à la renommée inexplicable de son fils. Il se sentait paré d'un prestige qui n'était qu'un reflet,* d'une importance qui ne jouait que par personne interposée.

Il s'asseyait à une table où le conviait à grands cris un groupe de vagues copains de tournée. Et on l'interrogeait sur son travail, sur sa vie. Mais il savait bien qu'il s'agissait là d'un préliminaire vite expédié. Et puis, tout à coup, la phrase terrible :

— Et le gosse ?

Il en recevait un choc au ventre, chaque fois. Cependant il ramenait un sourire sur ses lèvres tremblantes et prononçait :

— Ça marche... ça marche très bien... Je le fais répéter à force... je le tiens sous pression... Ce matin, au studio...

Les têtes se rapprochaient pour ne pas perdre un mot de l'anecdote. Et il lui fallait tolérer l'injure de ces attentions octroyées* à un autre que lui. Mais ce n'était qu'une mauvaise passe à franchir. Une fois rassasiés de nouvelles fraîches sur le gamin, ils le laissaient en paix. Les conversations que son arrivée avait suspendues se renouaient une à une. On se plaignait de la crise ; on se communiquait des tuyaux* crevés d'avance ; on débinait les camarades absents ; on remâchait des projets, auxquels personne, depuis longtemps, ne croyait plus : former une troupe sans directeur, jouer au prorata...* On parlait pour le seul plaisir d'entendre sa voix parmi les autres voix et de gagner cette fatigue abrutie hors de quoi il n'y avait pas de repos. La fumée, la lumière, la bière tiédie dans les épaisses chopes à facettes* Qu'ils étaient loin, Jeanne et Christian, pour quelques heures ! Comme il respirait librement ! Il retardait son départ jusqu'au moment où le garçon raflait les soucoupes* et disposait les chaises sur les tables, les quatre pieds en l'air.

Il rentrait par les rues assagies, flairant la nuit pluvieuse, lorgnant le ruisseau de ciel noir encaissé entre les toits des maisons. Il était un peu ivre. Il était presque heureux. Mais, à mesure qu'il se rapprochait de chez lui, un malaise familier lui revenait au cœur. Cette demeure qu'il regagnait jadis avec un sentiment d'évasion, voici qu'il souffrait de la retrouver à présent.

Dès l'escalier, il pénétrait dans un univers hostile.

Et la porte qu'il ouvrait, qu'il refermait sur lui, le condamnait à la réclusion.

Il n'allumait pas l'électricité dans l'entrée. Une odeur de poireau, d'encaustique. Un silence vivant. A tâtons, il se dirigeait vers sa chambre. Là, il tournait le commutateur. Le décor n'avait pas bougé. Le paquet de tabac, les piles de journaux par terre, les photos aux murs, l'inhalateur renversé dans son coin. Mais, des choses à lui, nulle amitié ne fluait.

Jeanne était couchée dans le lit. Il voyait une grasse épaule ronde, blanche, qui dépassait les couvertures, et sa chevelure dénouée. Il entendait ce fin ronflement, coupé d'un hoquet et qui reprenait sur un mode grave. Le petit aussi était couché. On ne l'avait pas attendu. Pourquoi l'aurait-on attendu ?

Jeanne relevait la tête. Il voyait son visage somnolent, qui lui semblait lourd et bête soudain. Elle demandait d'une voix défaillante :

— C'est toi ? Couche-toi vite si tu veux partir en même temps que Christian demain. Il reste un peu de viande froide...

Et la tête roulait sur l'oreiller.

Quel abandon ! Il étouffait dans cette indifférence des êtres et des choses, comme si l'air se fût retiré de la pièce tout à coup. Il avait besoin d'affection chaleureuse, d'admiration exaltée... Une soif dévorante de tout cela qu'il avait perdu. Fuir ce vide, retrouver ces regards, ces gestes, ces mots qui le baignaient jadis, renaître. Auprès de qui ? Dans le minuscule univers raté où tournait sa vie, quelle autre femme trouver ?

De grosses gouttes de pluie tapaient les vitres, maintenant. Il errait dans sa chambre, les bras ballants, la tête basse, attentif à marcher sur la pointe des pieds pour n'éveiller personne.

— Antoine !

Reine Roy le regardait avec une stupeur ravie, les yeux écarquillés,* la bouche entr'ouverte, les mains jointes à hauteur du menton. Elle répéta encore d'une voix suffoquée :

— Antoine !

Et soudain, elle claqua ses paumes l'une contre l'autre, et, renversant la tête, se gargarisa d'un petit rire aigrelet.

— Ce que t'es chic d'être venu, mon chou !* Et juste qu'aujourd'hui je suis libre comme un courant d'air ! Tu serais passé hier, tu ne m'aurais pas trouvée...

— Je suis passé hier, dit-il.

Elle eut une moue consternée, les lèvres avancées comme pour cracher un noyau, les paupières papillotantes :

— Mon pauvre gros ! soupira-t-elle.

Et, aussitôt :

— Enfin, l'essentiel c'est que tu sois revenu ! Entre donc. Tu connais pas ma chambre ? C'est vrai tu voulais jamais m'accompagner ! Ce que j'ai pu râler contre toi dans ce temps-là ! Tu vois, c'est pas grand, c'est pas clair, mais ça fait plus intime !

Il examinait cette pièce étroite, sombre, meublée d'un vaste lit de fer, d'une armoire à glace, d'un fauteuil, d'une table.

— Assieds-toi. T'as dîné ? Tu veux du thé ? J'ai pas grand'chose à t'offrir avec. Je n'achète jamais de bonbons parce que ça m'est contraire. Mais j'ai du pain, du beurre si ça te goûte. Le réchaud est dans un placard : c'est commode et coquet. Une, deux ! et il n'y a plus qu'à attendre que mon eau bouille !

Elle s'assit en face de lui. Un petit visage d'une pureté fruitée, aux grands yeux jaunes tournés vers lui.

— Me regarde pas : j'ai la peau mauvaise aujourd'hui !

Il s'étonnait de sa présence dans cette chambre, comme si toutes ses démarches pour joindre la jeune femme avaient été inconscientes et qu'il venait de se réveiller seulement. Et il ne savait s'il était heureux ou malheureux de la revoir. Sans doute allait-elle lui parler de son fils, comme les autres, dans l'absurde intention de flatter son orgueil paternel. Sans doute lui faudrait-il, comme devant les autres, paraître touché de ces compliments. Déjà, il reconnaissait l'habituelle entrée en matière :

— C'est égal, il s'en est passé des choses depuis qu'on s'est quitté au bistrot de l'Eden-Palace. Moi, j'ai eu de la veine : J'ai tout de suite signé pour une Revue aux « Naturistes ». J'annonçais les numéros. Je portais un truc en voile qui cachait juste ce que je me comprends, et des cheveux en paille tressée qui craquaient quand je remuais la tête ! Ça a duré deux mois. Après, j'ai fait de la tournée, des sketches, des tas de machins... Mais je cause et ce n'est pas intéressant... C'est toi qui vas m'en raconter des nouvelles !... T'as joué dans quelles boîtes ?...*

— Je n'ai pas trouvé d'engagement au théâtre. J'ai tâté du doublage, de la figuration...

— Du doublage, de la figuration ? Avec ton talent ?

Ce lui fut comme une bouffée de chaleur au visage.

Qu'elle avait bien lancé cette phrase ! Avec quelle simplicité et quelle conviction ! Il y avait si longtemps qu'on
ne lui avait parlé de son talent ! Il eut peur qu'elle ne se
contentât de ces quelques paroles et qu'après avoir
ranimé la soif elle ne fût plus en mesure de l'étancher.
Il s'empressa de stimuler son éloquence :

— Le talent n'est pas une chose rare... Si tous les
acteurs de talent...

Elle l'interrompit :

— Un talent comme le tien est une chose rare !

Juste la réplique qu'il fallait !* Il tressaillit de joie,
ferma les yeux sous la louange. Elle poursuivait :

— Je me souviens dans *Pitchounette,* t'avais un rôle
à la gomme,* et autant de goût pour le jouer qu'une
catin* pour faire ses Pâques !* N'empêche que tu les as
tous eus, et les doigts dans le nez encore ! Quand tu
entrais, il n'y en avait que pour toi ! Cette voix... rien
que ta voix, ça te prenait, ça te... Et le geste alors !
C'est bien simple : c'était le marquis qu'avait l'air d'un
laquais et toi qu'avais l'air d'un marquis !

Il se laissait griser par la merveilleuse musique de cette
voix acide, par le sens précieux de ces mots qu'elle ne
cherchait pas. Ce n'était pas possible ; elle allait lui
parler de Christian dans la phrase qu'elle commençait.
Mais non. Et dans cette autre ? Non plus. Elle ne
parlait pas de Christian. Elle ne parlerait pas de Christian. Il y avait donc quelqu'un pour qui sa carrière
importait plus que celle de son fils. Il y avait donc
quelqu'un qui l'admirait au point de ne pas juger son fils
plus admirable que lui. Il y avait donc quelqu'un qui
l'aimait vraiment ! Et il s'était rongé pendant des
semaines, des mois, ignorant que le réconfort était si
facile et si proche ! D'avoir été sevré de compliments le
rendait insatiable à présent. Il ne se lassait pas d'entendre pérorer sur son compte. Il craignait seulement

que l'autre ne se lassât. Mais elle paraissait y prendre un plaisir nerveux. Elle babillait avec fougue, avec indignation, avec extase. Et son emportement l'embellissait encore : le rose aux joues et cet éclat cuivré dans les prunelles, et ces lèvres grenat qu'elle léchait d'un preste coup de langue pour les faire reluire.

Elle se leva :

—Que penses-tu de ma nouvelle couleur de cheveux?*

Il ne la regarda pas tout de suite. Il avait avisé au mur de la chambre une photo de lui dédicacée. Qu'elle eût songé à placarder cette photo et qu'elle l'eût conservée jusqu'à ce jour, le remuait délicieusement. Elle s'impatientait :

— Alors ?

Il se tourna vers elle. Les cheveux roux avaient viré au blond éteint et se groupaient sur les tempes en petits rouleaux serrés comme des coquilles de beurre.

— Tu m'aimais mieux rousse, peut-être ? J'ai changé parce que le roux de mes yeux tuait le roux de mes cheveux ! Tu comprends ?

Il approuvait :

— Oui... oui, tu as eu raison.

— Tu trouves ? Chic alors !

Elle battit des mains, sauta sur place.

Mais le couvercle de la bouilloire dansait déjà à petits claquements. Elle se précipita vers le placard, coupa le gaz. Et, soudain, elle poussa un cri :

— Zut ! je me suis brûlée !

Il vint vers elle :

— Où ?

— Le doigt. Regarde...

Elle minaudait :

— Ça me fait mal, tu sais...

Il prit la petite main légère, ardente, l'emprisonna dans ses grandes mains. Les doigts étaient souples, dépliés,

avec des ongles rougis et taillés en griffes. La paume
était rose, froissée. Il regardait cette paume creuse, ces
doigts ouverts avec une fixité ravie. Il ne voulait plus
bouger, parler, ni rien entendre. La tiédeur de ce corps
proche, ce parfum de peau chaude et de fard, cette
haleine sur son visage... Il se pencha. Et, tout à coup,
elle renversa la tête sur son épaule et les lèvres peintes
s'écartèrent. Il se pencha encore. Il voyait dans un rap-
prochement de myope la peau de ses joues poudrées
d'ocre, les yeux écarquillés sur un regard d'attente et la
bouche où brillait la lame fraîche des dents. Lentement,
il approcha sa bouche de cette bouche, la caressa du
souffle, la respira avec émerveillement, et l'écrasa soudain d'un baiser béant, profond, vertigineux, interminable, dont la violence les fit tituber comme un coup.
Elle s'écarta de lui, les lèvres barbouillées et humides,
les prunelles chavirées, et elle haletait. Elle passa une
main sur son front. Elle murmura :

— Ben ! mince !

Déjà, il l'attirait de nouveau.

— Non, mon chéri, t'énerve pas... C'est pas la peine...
Je vais me mettre à l'aise... Une minute... Ouvre le lit...

Elle retira sa montre-bracelet, son collier de verre,
ses chaussures, ses bas. Il la regardait, le sang à la face,
les mains pendantes.

— Qu'attends-tu pour en faire autant, mon grand
chat ? Tu préfères que j'éteigne tout, ou que je laisse
la petite lampe du coin ? Oui ? Non ? Tant pis ! je
laisse la petite lampe... Ça sera meilleur ! Viens !...

Il se souleva sur un coude. La petite lampe emmitouflée* de soie jaune éclairait le coin de la table, le tapis,
mais la couche demeurait prise dans l'ombre. Une chemise écartelée sur le fauteuil, des bas coulant d'un barreau de chaise jusqu'au sol, des chaussures d'homme

jetées au milieu de la pièce. L'air chaud sentait l'amour
et le parfum bon marché. Dans le silence, Antoine entendait une respiration brève, inconnue. Il contempla le
corps étroit et clair couché contre son corps. Epaules
droites et maigres, seins pointus, ventre plat et la fuite
longue des jambes refermées. Le visage, écrasé de profil
sur l'oreiller, était moite de sueur, brouillé de cheveux.
Une joie élémentaire possédait Antoine. Toute crainte,
toute honte, toute haine s'abolissaient dans ce bonheur
complet. Le succès du petit, l'indifférence de Jeanne...
fumées ! Plus rien n'existait hors cette chambre étroite,
surchauffée, odorante, hors cette femme comblée, hors
la vie miraculeuse qui commençait aujourd'hui. Reine
geignit :

— J'aime pas que tu me regardes comme ça après...
Ou alors, faut que je me remaquille... Et j'ai la
flemme !...* Viens tout près... C'est si meilleur d'être tout
près... T'es heureux, mon chou ?... Attends un peu, tu
verras comme tu auras du plaisir avec moi...

Et, comme il l'embrassait plus étroitement :

— Dommage que je doive partir dans une quin-
zaine...

Il s'écarta d'elle, interrogea, la voix blanche :

— Quoi ?

— La tournée Delbec... J'ai signé la semaine dernière... Si j'avais su...

Il marmonnait, atterré :

— Ça alors !...

— Crois-tu que c'est la guigne,* hein ?... Mais je
reviendrai bientôt... Un mois, deux mois, au plus...

Un mois, deux mois ! Se pouvait-il que cette présence
dût lui être ravie alors seulement qu'il venait d'en appré-
cier le prix incalculable ? Comment supporterait-il la
solitude, l'indifférence, l'ennui de ces journées, après
les quelques heures prodigieuses qu'il avait vécues ?

N'eût-il pas mieux valu qu'il poursuivît son épreuve, plutôt que de goûter ce répit d'un instant dont le souvenir attiserait sa détresse prochaine ?

— Ce qui serait bath,* c'est que tu partes avec nous, dit-elle soudain.

— Tu es folle ?

— Pourquoi que tu partirais pas ? Ta femme...

— Il ne s'agit pas de ma femme.

— Eh bien ?

Ces paroles l'effrayaient. L'idée de laisser Jeanne et Christian lui paraissait monstrueuse tout à coup. Pourquoi ? L'habitude, il ne savait quelle pitié, ou quelle jalousie subites. Malgré qu'il souffrît de devoir demeurer auprès d'eux, il se doutait bien qu'il ne les quitterait pas. Elle insistait :

— On est au complet, mais le vieux Delbec est arrangeant. Surtout si t'es pas trop excessif...

— Non, je ne partirai pas... Je ne veux pas partir... Laisse-moi.

Et, déjà, il songeait à fuir cette chambre, cette femme, pour ne pas céder à l'appel de la peau brûlante, des lèvres mouillées, meurtries, du regard noyé qui le sollicitaient.

*
**

Comme il s'asseyait sur le bord du lit pour se déchausser, Jeanne demanda :

— Tu rentres seulement ? Je t'ai attendu jusqu'à onze heures : j'avais à te parler...

Il évitait de la regarder.

— A quel sujet ? dit-il.

Il espérait que des paroles douces le récompenseraient d'avoir renoncé à suivre la petite Roy. Mais la voix de Jeanne hésitait sur les mots :

— Ecoute... C'est un peu ennuyeux à dire... Tu ne te fâcheras pas ?...

Que de détours ! Il haussa les épaules :

— Mais non !

— Despagnat nous a parlé ce soir, à Christian et à moi. Il trouve qu'il serait peut-être maladroit de caser ton nom dans le générique* du film... Oui, tu comprends, que le père et le fils jouent dans la même bande, ça fait un peu pauvre vis-à-vis du public... un peu famille... Si encore tu tenais un grand rôle !... Mais le rôle du précepteur !... Tu disais toi-même que c'était plus une silhouette qu'un personnage... Surtout depuis qu'ils ont tellement coupé dans tes scènes !... Remarque bien que, si cela doit t'ennuyer, Christian ira trouver Despagnat et lui expliquera que tu exiges d'être inscrit dans la distribution... Mais, je me demande si tu y as intérêt !... A moins que...

Elle posa une main sur son genou :

— Vois-tu, ce qui arrête Despagnat, c'est que Christian et toi vous portiez le même nom...

Il dit :

— Tu ne vas pas me demander de prendre un pseudonyme,* peut-être ?...

— Sans en prendre un définitivement, tu pourrais pour ce film... rien que pour ce film...

Il inclina la tête jusqu'à toucher du menton sa poitrine et serra ses mains l'une contre l'autre à les broyer. Rien de ce qu'il avait souffert auparavant n'était comparable à cette dernière injure. La cruauté de ces paroles était telle qu'il avait l'impression curieuse de vivre dans un rêve et qu'il allait se réveiller en sursaut. Mais, Jeanne poursuivait :

— Pour toi, cela ne présenterait pas une grosse importance, et pour le petit cela vaudrait mieux...

Un malaise vague lui soulevait le cœur. Il se raidit :

— Je ne prendrai pas de pseudonyme, dit-il. Mais si Despagnat juge préférable de ne pas me citer parmi les interprètes, il n'a qu'à le faire : c'est son droit.

Elle était furieuse qu'on l'eût chargée de cette mission désagréable. Elle le plaignait. Elle se plaignait. Elle avait hâte d'en avoir fini. Elle dit :

— A ta guise, mon chéri. D'ailleurs, tout cela n'a aucune importance...

— Non, aucune...

— Tu as rencontré des gens ? Tu as du travail en vue ? Tu n'as pas très bonne mine, tu sais. Et ta gorge ?

Elle parlait vite, avec un détachement forcé, une joie feinte. Et les mots qu'elle disait étaient ceux-là même qui le touchaient jadis ; mais, aujourd'hui, ils étaient sa torture. Il bredouillait :

— Oui... non...

Et un désarroi horrible le gagnait. Quelque chose s'anéantissait en lui, un dernier espoir, une dernière tendresse. Il lui semblait qu'il perdait ses forces par une invisible blessure et qu'il ne saurait plus bientôt ni mentir, ni se taire, en face de celle qui le tourmentait. La sueur naissait à la racine de ses cheveux et coulait sur ses tempes. Son cœur battait à grands coups insensés dans sa poitrine. L'envie de se courber, de se recroqueviller, de tomber d'un bloc.

Soudain, il s'entendit prononcer d'une voix ravagée :

— Moi aussi, j'ai une nouvelle à t'annoncer...

Elle leva la tête. Il la regarda dans les yeux. Un silence préparatoire. Il acheva d'une traite :

— Je pars en tournée dans deux semaines...

— Tu dis ?

Comme tout devenait aisé ! Comme tout devenait agréable ! Une détente.

— Oui... Les tournées Delbec... Ce n'est pas sûr encore... Je pense signer demain...

Une haine joyeuse le poussait. Il s'acharnait :

— Un mois, deux mois... Ce n'est pas long... Je ne serai pas là pour la présentation du *Petit Prince Mirka ?*... Dommage !... Mais j'y tenais un si petit rôle, comme tu dis !... D'ailleurs vous vous passerez très bien de moi !... Hein ? Hein ?...

La lumière dansait devant ses yeux. Il craignit de ne pouvoir retenir ses larmes. Il se leva, tourna le commutateur, et, dans l'obscurité revenue, elle l'entendit qui sortait de la chambre, entrait dans la cuisine, ouvrait le robinet de l'évier, rinçait un verre, l'emplissait d'eau. Mais elle n'imaginait pas l'homme au visage terrible qui se penchait sur le verre et buvait à longs traits hoquetants.

Le vieux Delbec secoua sa petite tête fripée :

— Puisque je vous répète que c'est complet ! Je ne peux tout de même pas ajouter des personnages à *la Petite Chocolatière* ou à *Maman Colibri* sous prétexte que vous avez envie de partir en tournée !...

Le regard d'Antoine file de la fenêtre voilée de vert aux affiches criardes des murs, à la table chargée de paperasses, de bouquins. Une stupeur désolée est en lui qu'il ne sait pas vaincre. Et, pourtant, son bonheur se joue à la minute présente. Il faut se défendre, se raccrocher...

— On a toujours besoin d'une doublure...

Il rougit de son insistance humiliée. Mais l'autre lance en l'air ses petites mains baguées, aux doigts raidis en fléchettes, et secoue de nouveau son museau grisâtre au-dessus des papiers :

— Quand je dis complet, ça veut dire complet ! Et d'ailleurs on ne tombe jamais malade en tournée, c'est bien connu !

Antoine rit poliment à cette boutade. Et il enchaîne soudain :

— Remarquez que je suis prêt à me montrer conciliant pour les conditions...

Delbec croise ses bras d'une volée sur sa poitrine et dresse son menton aigu :

— Conciliant ? Mais je l'espère bien ! D'ailleurs je ne signe jamais au rabais. Les termes des contrats sont étudiés, adaptés...

Fausse route. Antoine considère avec haine ce petit vieux irréductible qui semble prendre un froid plaisir à miner ses projets. Un acteur de plus ou de moins, qu'est-ce que ça peut lui faire ? Et, pour Antoine, il n'y a pas de vie possible hors de cette tournée. Comment l'autre ne devine-t-il pas sa détresse, et qu'il saurait seul le sauver ? Une horloge sonne. Delbec tortille sa moustache, tousse grassement, juteusement, tire un mouchoir de sa poche, crache dans le mouchoir et le referme en portefeuille sur le crachat. Ce simple geste, et Antoine est à bout de nerfs. Il dit encore :

— J'accepterais n'importe quoi, n'importe quoi...

Delbec feuillette un cahier dactylographié et coche* des passages au crayon bleu.

— Je pourrais ne jouer que dans certaines pièces...

Delbec referme le cahier, en prend un autre et recommence de cocher.

— Je pourrais même ne pas jouer du tout, partir avec un emploi de...

— ...D'aide-régisseur, par exemple, tranche Delbec, sans s'arrêter de tourner les pages et de gribouiller dans les marges à grands traits rageurs. Mais, mon pauvre ami, vous vous foutez du monde ? Nous réduisons notre personnel au plus juste et vous nous proposez vos services pour le grossir ! Non, revenez plus tard... dans deux ou trois mois... il y aura quelque chose, peut-être...

— Mais c'est tout de suite que je veux partir, supplie Antoine.

— Alors, je regrette.

La phrase définitive. Quelques mots ont suffi à le rejeter vers cette existence abhorrée dont il a voulu s'évader. Il n'y a rien à répondre. Il faut remercier, prendre congé, quitter le bureau, avec au cœur ce désespoir intolérable et sur les lèvres un sourire crispé de convenance. Mais il ne peut pas se résigner. Il reste là, debout, le regard accroché au reflet vert de la fenêtre sur l'encrier. Il lui semble que, tant qu'il n'a pas passé le seuil de la porte, une chance demeure encore qu'on l'engage. Delbec lève les yeux, répète avec irritation :

— Je regrette.

Sa main osseuse rampe déjà vers une sonnette posée près de l'encrier, sur la table. Avant même que ne retentisse le timbre, une commotion affreuse secoue Antoine. Il fait un pas. Il chuchote :

— Ecoutez... vous avez tort... vous verrez...

Il ne sait pas ce qu'il va lui dire. Des paroles incohérentes :

— Plus tard... lorsque vous vous rappellerez ma visite...

Et, soudain, il se penche sur Delbec. Il conclut d'un élan :

— Je n'ai pas un grand nom, c'est entendu... mais mon fils... mon fils... le petit Christian Vautier... c'est quelqu'un !... Ça pourrait vous amener du monde d'afficher le père du petit Vautier à la distribution !... Non ?... J'imagine très bien les placards : le titre de la pièce... la distribution... et, au-dessous de mon nom... en lettres plus importantes même que mon nom : « le père du petit Vautier »... « Antoine Vautier... le père du petit Vautier »... simplement !... Mais en caractères bien gras !... pour que ça frappe !... pour que ça gueule !...

La honte le tenaille au point qu'il serre les mâchoires, comme sur une véritable douleur. Et, dans sa tête, roule un bruit de flux et de reflux* qui le berce.

— Pour que ça gueule !...

Il regarde Delbec. Le petit vieux s'est arrêté de cocher ses feuillets. Il suce la pointe de son crayon. Et son œil fixe de batracien* semble contempler au mur de la pièce l'étonnante affiche qu'Antoine lui décrit d'une voix pressée

DEUXIÈME PARTIE

La tournée. Le rideau se lève sur une salle chaude et noire. Une odeur d'humanité suante, d'oranges pelées, de cigarettes. Car on fume dans certains théâtres. La fumée prend la gorge et brûle les yeux. Ne pas tousser. On descend la voix d'un registre. On expédie le texte à grand renfort de grimaces.* La consigne est de faire rire, le plus tôt possible et par n'importe quel moyen. Et, soudain, le premier rire. A l'orchestre, des faces congestionnées et fendues jusqu'aux oreilles comme des groins.* Le public est facile. On en profite. On dépêche les répliques. On cabriole. L'entr'acte. Le rideau tombe sur une chiche rumeur d'applaudissements. On regagne les loges rances. On bavarde. Par une meurtrière ouverte sur la rue, on voit la foule qui déambule devant le théâtre, reluque les affiches, commente. A l'étage des femmes, une voix fredonne : *C'est papa, c'est parisien.*

Antoine gravit l'escalier, frappe à une porte.

— C'est qui ?

— C'est moi.

— Entre, mon loup.

Reine Roy est assise en peignoir jaune devant la glace et se bitume les cils gravement.

— Tu en mets trop, dit Vautier.

— Qu'est-ce que je te disais ? intervient Rose Minel qui lui tourne le dos. C'est comme pour les paupières.

Le bleu d'argent ça fait femme qui transpire à la rampe.
Avec ton teint, il te faut du marron...

Rose Minel a dégrafé sa robe, et, par l'échancrure,
on voit des marques rondes et violâtres de ventouses.
Elle raccommode un bas avec l'air rêveur et médiéval
d'une femme qui ferait de la tapisserie. Elle dit :

— A l'Hôtel du Terminus, il paraît qu'on prépare
les escalopes viennoises que c'en est une perdition !

— Moi, j'aime pas les trucs panés, dit la petite Roy :
on a l'impression de manger de la viande qu'a des bou-
tons !

La vieille Mme Vaignes, qui se change dans la loge
voisine, les interrompt pour leur demander à travers la
cloison des cachets d'aspirine, de calmine ou n'importe
quoi pour faire passer les maux de dents. Rose Minel
affirme qu'il suffit de se pincer très fort le petit doigt de
la main gauche et ensuite l'oreille droite. Controverse.
La sonnerie du deux. Antoine dévale dans sa loge. Un
raccord au maquillage, et, tapi dans le guignol,* il attend
son tour de paraître. Il joue le rôle de Pinglet, le chauf-
feur, dans *la Petite Chocolatière*. Il s'est fait une tête.
Le public murmure de joie lorsqu'il entre en scène. Et
des rires soulignent chaque « tonnerre de chien ! » qu'il
lance en courtisant Julie. Comme ces « tonnerre de
chien ! » sont d'un effet sûr, il en a rajouté quelques-
uns au texte, qui déjà n'en comportait que trop.

— « On est à Paris à quatre heures... Tonnerre de
chien !... On chauffe la 564-48... Tonnerre de chien !...
Je vous fais faire une balade...* du 120 à l'heure... Tonnerre de chien !... »

Parfois, on le devance. Un spectateur, à son entrée,
gueule : « tonnerre de chien ! » comme les gosses qui
piaillent pour avertir Guignol de l'arrivée du gendarme
ou du juge.

Après le spectacle, la compagnie se réunit au Café

du Théâtre. Quelques indigènes attardés les reconnaissent, les dévisagent en chuchotant :

— Mais non, c'est le grand blond qui jouait Félicien. Celui-ci, c'est Mingassol.

Vigneral qui tient la vedette se plaint de la lenteur des baissers de rideau, des rappels mal amorcés, de la rampe trop pauvre. Il est exténué. Il se donne trop. Il se donne trop pour ce qu'on lui donne. Le vieux Ramier raconte pour la dixième fois que sa ressemblance avec Harry Baur* a gâché sa carrière :

— J'ai eu beau me laisser pousser la barbe, la moustache, me faire maigrir, le mal était fait... On ne voulait plus de moi... Notez que je ne lui en tiens pas rigueur... Il n'y est pour rien... Une simple coïncidence...

Antoine affirme son mépris pour les rôles comiques et son désir de jouer Hamlet ou Lorenzaccio.* Mme Vaignes boit du lait chaud pour ses dents et ballotte chaque gorgée d'une joue à l'autre dans un clapotis discret. Reine Roy étouffe des bâillements élastiques de petit chat. Barbieux, le régisseur,* la regarde, cligne de l'œil et assène la plaisanterie traditionnelle :

— Demain, tous sur le quai à huit heures. Et le premier qui arrive le dernier au rassemblement, j'en prends un au hasard et je les fous tous dedans !

Reine Roy lui tire un coin de langue rose, avale son apéritif et s'essuie la bouche à la pochette d'Antoine :

—Elle manque de « pétilles » leur eau de Seltz !* Tu viens ?

La chambre d'hôtel, exiguë, sombre, pouilleuse, avec les inévitables peintures sur galets accrochées aux murs, les fleurs artificielles prises sous cloche, sur la cheminée, et le lit obèse et douteux. Sur la table, des valises ouvertes.

Sitôt la porte refermée, elle lui saute au cou, le mouille de baisers affamés, ravageurs, rafleurs, qu'il rend au hasard, se débattant et riant. Puis elle s'écarte de lui, gémit :

— Ouf ! c'est trop bon ! — et se met en devoir de préparer du thé sur un petit réchaud à alcool.

— Ne te brûle pas comme à Paris, dit Antoine.

— Penses-tu ! J'ai plus besoin maintenant !

Ils boivent le thé au lit et elle n'arrête pas de bécoter, de rioter,* de jacasser à perdre haleine. Elle admire Antoine au delà de toute espérance. Les moindres intonations, les moindres attitudes de son amant la ravissent. Et elle ne se lasse pas de lui expliquer ce ravissement. Avec ça, un besoin de le regarder, de le respirer, de le toucher constamment, comme pour cueillir à chaque minute une preuve tangible de son bonheur. Antoine apprécie cette adoration trépidante. Christian ? Jeanne ? Il leur a laissé un itinéraire détaillé de la tournée, mais il n'a reçu aucune lettre depuis une semaine qu'il est parti. En vérité, cette négligence ne l'inquiète guère. Il aimerait tellement les oublier et qu'ils l'oubliassent. Il aimerait tellement ne les revoir jamais. Il aimerait tellement passer toute sa vie auprès de cette petite rieuse, frétillante et simple, qui l'enchante.

— Tu ne m'as pas dit ce que tu pensais de ma nouvelle coiffure ?* La nuque est plus dégagée. Il y a des hommes que ça rend fous de voir une nuque de blonde bien dégagée ! Ça te rend fou, dis, mon grand chat ?...

Ils s'endorment tard, rompus, repus.

Le jour suivant, la tournée quitte la ville. Sur le quai désert de la petite gare, le régisseur rassemble son monde à grands cris, distribue les billets. Vigneral porte un canotier en prévision des chaleurs méridionales, et des chaussures tressées. Le vieux Ramier est chargé de musettes dont les bretelles se croisent martialement sur sa poitrine. Le manteau mastic et le cache-poussière de

Rose Minel. Le sac à main de voleuse d'enfants de Mme Vaignes. Le tailleur frileux de Reine Roy, avec un œillet froissé et jauni à la boutonnière et son béret basque d'où pend sur la joue un minuscule chiot taillé dans du bois noir. Antoine, sans chapeau et l'imperméable jeté en cape sur les épaules.*

Le train arrive. On prend d'assaut les wagons de troisième. On piétine dans les couloirs. Les compartiments puent la charcuterie, les pieds, la vapeur. Des journaux graisseux traînent par terre. On s'installe. Et le somme interrompu reprend, têtes renversées, bouches ouvertes. La poussière de charbon maquille lentement ces faces vieillies de fatigue. Parfois, l'un des dormeurs se dresse, suit du regard la fuite d'un paysage de verdure, de ciel et d'eau et retombe au dossier des banquettes. Un arrêt. On s'étire. On achète des paniers de provisions. On mange, les mains poisseuses, la bouche amère, le cœur chaviré. Ramier renseigne la jeunesse sur les prix des hôtels à la prochaine halte et les spécialités culinaires des pays traversés. Mme Vaignes condescend à jouer une belote* avec Barbieux. Des journaux se déplient, des bouquins s'ouvrent. Le train repart. Dans quelques heures, le soir tombera sur cette campagne filante. On arrivera dans une petite ville noire, endormie. Ce sera la bousculade, la recherche de l'hôtel pas cher dont les propriétaires et les prix auront évidemment changé depuis la dernière tournée, le campement, le sommeil vanné.

Et, le lendemain, fardés, accoutrés comme les autres jours, ils joueront la même pièce que les autres jours, devant un public qui rigolera aux mêmes répliques, applaudira aux mêmes gestes que les autres jours et qui les oubliera, comme les autres jours, sitôt les portes du théâtre franchies.

— Un mot de ta femme ?

— Oui.

Il replia les feuillets et les fourra dans sa poche. Reine Roy ne lui parlait jamais de Christian ni de Jeanne, et il lui savait gré de cette discrétion. Mais, aujourd'hui, il craignait soudain qu'elle n'engageât une conversation à leur sujet. Cette lettre, sa mine fâchée, son silence, tout l'invitait à le questionner. Il dit promptement :

— Attends-moi pour sortir. Je descends acheter des cigarettes et je reviens.

Les cigarettes achetées, il s'attabla devant un demi et commença de relire la lettre. Quatre pages de pronostics favorables sur la présentation imminente du *Petit Prince Mirka*. Quatre pages d'expectatives* joyeuses, d'anticipations triomphales : « Despagnat estime que le succès du film dépassera peut-être celui de *Jack*, et moi, qui ai assisté aux prises de vue, j'en suis certaine. Christian a si bien compris son personnage ! Christian... » Il sauta quelques lignes : « Christian se porte à ravir. Il suit un régime pour conserver son poids. Le matin grape-fruit. Pour le déjeuner un bifteck, pommes vapeur... » Et, plus loin : « Despagnat conseille à Christian de prendre des leçons d'équitation en vue d'une troisième bande qu'il pense tourner cet hiver. Avec l'avance qu'il a reçue sur son cachet, j'ai acheté à Christian... Hier soir, Christian et moi... » Des phrases ! des phrases ! Mais ce rappel d'une vie qu'il croyait oubliée l'atterrait. Il avait fui un supplice intolérable, il avait mis l'espace et le temps entre ses bourreaux et lui, il s'était cru sauvé, et voici qu'une lettre de Jeanne le touchait au point qu'il s'isolait pour la reprendre à loisir. Comme un chien qui se croit libre court droit devant lui, et soudain la laisse le retient, l'étrangle. Il imaginait leur vie en son absence. « Christian et moi, moi et Christian ! » Comme ils se passaient bien de lui ! Dans quelle intimité soulagée la mère et le fils communiaient loin de lui ! Dans quelle atmosphère de vacances, d'adoration, de baisers mignons, de secrets puérils, de petits soins ! Et il avait souhaité qu'ils fussent affligés de son départ, désemparés, châtiés vraiment. Mais cela valait mieux ainsi. Cette absurde jalousie qui le tenaillait n'était que passagère. Un dernier sursaut. Et bientôt il s'habituerait à l'idée de leur indifférence. Il retrouverait lui-même cette indifférence qu'hier encore il avait connue. Il serait heureux.

Il passa une main sur son visage flasque, mal rasé, tourna la tête. Valence.* La place de la République. Des maisons claires, banales. Un ciel d'un bleu tendre, pavé de nuages blonds et ronds comme des galets bien roulés. Le vent léger soulevait, poussait la poussière blanche. Des gamins se poursuivaient en piaillant autour de la statue d'Emile Augier* cernée de soleil. A la vitre du bistrot, il vit l'affiche jaune et rouge de la tournée. « Antoine Vautier — le père du petit Vautier. » Il haussa les épaules. Il avait payé cher le droit de vivre en paix.

Comme il se préparait à régler sa consommation, Reine entra dans le café, l'avisa d'un coup d'œil sommaire, et déjà elle venait vers lui. La lettre traînait

encore sur la table. Il était fâché qu'elle le surprît, se
cachant pour la lire, comme un collégien. Il voulut se
justifier :

— J'avais très chaud... Je me suis attardé... J'ai pris
un demi...

Du doigt, elle désignait les feuillets épars :

— Des embêtements ?

Il eut conscience qu'il fallait à tout prix détourner la
conversation ou lui imposer le silence.

— Non, rien, dit-il.

Elle s'assit en face de lui, commanda un café-crème
qu'elle but à petits coups ; et la cuillère, maintenue d'un
doigt contre le verre, lui rentrait dans la joue.

— Pose ta cuillère, dit-il.

Elle releva le front et demanda :

— C'est quand, la présentation du *Petit Prince* ?

Il la regardait, déconcerté par ces paroles si simples et
qui pourtant lui étaient une révélation. Elle s'intéressait
donc à ce film, à son fils... Son attention, qu'il avait cru
réservée à lui seul, se gaspillait hors de lui. Il l'avait
imaginée différente des autres. Et voilà que s'éveillait
en elle la curiosité mesquine qui, chez les autres, l'avait
blessé. Mais elle ajoutait déjà :

— J'aimerais tellement te voir dans le rôle du précepteur ! Je ne t'ai jamais vu à l'écran...

Et il ne savait plus si elle était sincère, ou si elle cherchait seulement à le tranquilliser.

*
**

Reine entra dans la chambre en coup de vent. Elle
tenait des coupures de journaux à la main :

— J'ai les articles des canards locaux sur *la Petite
Chocolatière* ! C'est un succès! Barbieux n'en revient pas!
Il voudrait prolonger de deux jours ! Lis plutôt ! Non,

je vais te lire, moi... Ecoute... Hum !... « Cette pièce
qui... » Non, c'est plus loin... « Vigneral... » Non... ah !
voilà.. « Enfin, Antoine Vautier, le père du jeune prodige
de l'écran, nous a donné de Pinglet une interprétation
désopilante... » Tu entends, mon minet : « désopilante !*...» Un autre : « Mlle Reine Roy, M. Ramier,
M. Vautier, le père du petit Christian Vautier, dont
nous avons eu l'occasion de louer les qualités excep-
tionnelles dans notre rubrique cinématographique,*
complètent harmonieusement une distribution des plus
homogènes. » Et ce n'est pas tout ! Dans le Petit
Dauphinois : « Antoine Vautier, le père du prestigieux
interprète de Jack, fut un Pinglet ahuri et cocasse
à souhait. » Et celui-ci...

Le père du petit Vautier ! Le père du petit Vautier !
Tous les critiques mentionnaient cette paternité miraculeuse. Et avec quel respect, et avec quelle insistance !
Cela devenait un état civil,* un titre honorifique, une
distinction nobiliaire ! En vérité, le gamin recueillait
plus de louanges que lui à l'occasion de la tournée.
Lui n'était qu'un prétexte, qu'un trait d'union. Et Reine
s'émerveillait pourtant des fades éloges qu'on lui décer-
nait en passant. Elle applaudissait à cette caricature du
succès. Elle estimait qu'il devait en être aux anges.*
Quelle dérision ! Il savait, lui, ce qu'était un succès
véritable. Il avait lu les articles délirants dont toute
la presse avait salué les débuts de son fils. Il ne
pouvait plus se contenter de quelques phrases polies
signées d'un plumitif* de province.

Il sentit la bouche chaude de Reine Roy sur sa joue,
sur sa bouche. Elle balbutiait :

— Je suis heureuse pour toi, mon rat...

— Je ne vois vraiment pas pourquoi !

— Comment ? Ces articles...

Une rage soudaine le souleva :

— Quoi ? quoi ? Ils te satisfont toi, ces articles ? Tu trouves que je devrais m'estimer heureux de leurs compliments éculés ?* Tu ne t'attendais même pas à ce qu'on me citât parmi les interprètes, peut-être ? Tu es stupéfaite de ce succès ? Car tu parles de succès ! Hein ? Tu as dit « succès » tout à l'heure !

Il s'étonnait lui-même de son emportement. Il l'avait saisie au bras et lui soufflait en plein visage, les yeux durs, les sourcils joints :

— Tu as dit « succès » ? Mais sais-tu seulement ce que c'est qu'un succès ? Attends ! Attends un peu la présentation du *Petit Prince !* Alors tu comprendras ! Des photos, des interviews, des échos partout ! Un branle-bas mondial ! Ça oui, ce sera un succès !...

Il s'était levé et secouait en l'air ses grandes mains ouvertes :

— Ça oui, ce sera un succès ! Et pour des succès comme ça on peut féliciter les gens ! Mais lorsque tu te prétends transportée parce qu'une feuille de chou régionale* accole à mon nom quelques compliments passe-partout, je ne peux pas m'empêcher de trouver ça grotesque, tordant, idiot !...

Elle le regardait avec une stupéfaction navrée qui dénouait son joli visage. Elle ne l'avait jamais vu dans cet état. Elle ne comprenait pas sa colère et ne savait comment l'apaiser. Elle murmurait :

— Faut pas te fâcher...

Il arracha sa cravate, son faux col, les jeta sur le lit :

— Mais je ne me fâche pas ! Je cherche simplement à te faire comprendre...

Et, soudain, avec l'affreuse impression de commettre une faute impardonnable, de gâcher quelque chose, de perdre quelqu'un, il proféra :

— Je cherche à te faire comprendre que je suis un pauvre type ! Je cherche à te faire comprendre que j'ai raté mon coup, qu'il est absurde que tu admires quoi que ce soit en moi, qu'il est insensé que tu espères encore en moi, qu'il est pitoyable que tu t'intéresses à ces petites victoires de tournées, à ces petites distinctions de coterie, à ces petits avantages d'un jour !...

Quel soulagement de se libérer, de s'avilir comme un ennemi ! L'allégresse, la haine et une envie de pleurer qui lui grippait la gorge :

— Tout ce que je t'offre c'est de la menue monnaie... du simili... du toc*... et tu t'extasies !...

Elle se frottait le front du revers de la main et la trace brillante d'une larme rayait sa joue. Une pauvre voix éraillée :

— Qu'est-ce que t'as, mon chou, à me dire ça ?

— Je veux que tu saches ! je veux que tu saches !...

Il s'écroula sur le lit à ses côtés, et elle lui saisit la tête à deux mains, la serra contre sa poitrine. Il haletait. L'étoffe du tailleur rêche,* chaude, parfumée. Une paume légère sur sa nuque, sur ses tempes. Il ne voulait plus bouger. Et, comme l'apaisement refluait en lui, une crainte obscure lui venait des paroles qu'il avait prononcées. Qu'allait-elle penser de lui, maintenant ? Sans doute, ne pourrait-elle plus l'aimer, ni l'admirer encore après les révélations qu'il lui avait assenées. Sans doute, se détournerait-elle de lui. Et il connaîtrait à nouveau cet isolement mortel qu'il redoutait. La reconquérir coûte que coûte, se rattraper, se raccrocher, mentir... Il dit :

— J'ai poussé les choses au noir, tout à l'heure... Je ne voudrais pas que tu prennes à la lettre tout ce que je t'ai raconté... Il faut faire la part de* mon agacement...

A quelle lamentable manœuvre il se livrait ! Le visage caché au creux de cette épaule, il poursuivait d'une voix honteuse :

— Bien sûr, je n'ai pas connu de succès comparables à ceux du petit... Mais je n'ai pas dit mon dernier mot... J'ai bon espoir... J'ai très bon espoir...

Deux bras le pressaient étroitement comme un enfant malheureux.

— Je voudrais que tu oublies, dit-il encore.

— Mais c'est tout oublié...

Quel calme ! Quelle douceur ! Comme il l'aimait d'être si calme et si douce ! Il leva les yeux. Elle souriait avec incompréhension et tendresse.

— Dans les autres patelins* t'étais heureux, dit-elle, quand je te lisais une bonne critique sur toi. Alors pourquoi qu'ici...

Pourquoi ? Il ne savait trop lui-même. La lettre de Jeanne, sans doute. Elle lui avait rendu le sens des valeurs. Elle lui avait découvert la pauvreté de ses joies, l'inutilité de ses efforts. Elle avait ramené en lui cette anxiété, cette envie, cette colère, qu'il croyait abolies.

— La lettre d'avant-hier, je parie, dit Reine.

Il ne répondit rien. Elle glissa une main dans sa poche, chipa les pages froissées, sans qu'il se défendît, et les déchira gravement.

— Comme ça, tout est fini, dit-elle encore.

Puis, elle se leva, tira les rideaux et les fixa l'un à l'autre avec l'épingle de nourrice qu'elle portait toujours dans son sac.

Antoine comptait avec effroi les jours qui le séparaient encore de la présentation. Qu'adviendrait-il de lui lorsque la jeune femme pourrait comparer ses misérables succès régionaux avec le succès mondial du petit ! A mesure que grandirait aux yeux de Reine l'image louée de son fils, il coulerait dans l'ombre plus avant. Pris de panique, il essayait de la préparer à l'événement. Il lui parlait distraitement des gloires soufflées, des méfaits de la publicité, des dangers d'une renommée trop rapidement conquise.* Il se méprisait de recourir à ces moyens. Il haïssait Reine de le contraindre à le faire. Des querelles éclataient parfois dont l'injustice et la violence l'épouvantaient. Il examinait la jeune femme avec angoisse, il l'interrogeait avec rage et il ne savait pourtant quelle attitude, quelles paroles souhaiter d'elle qui l'apaiseraient. Car derrière ses silences, derrière ses phrases, derrière ses gestes, c'était un apitoiement lassé qu'il croyait toujours découvrir.

A Livron,* Antoine, qui souffrait d'une extinction de voix, dut renoncer à jouer pendant deux soirs de suite. Barbieux, le régisseur, s'offrit à le remplacer au pied levé.*

Lorsque Reine Roy rentra du spectacle, elle trouva Antoine affalé tout habillé et chaussé sur le lit. Il se leva. Son gros visage* était souillé de barbe et une volumineuse compresse, débordant de coton et de toile cirée, lui maintenait le cou comme un carcan. Il portait sur la tête un béret basque crasseux. Des bouchons d'ouate pointaient hors de ses oreilles. Il chuchota d'une voix atone :

— Alors ?

— Ça s'est très bien passé.

— Quoi ? Qu'est-ce que ça veut dire : « ça s'est très bien passé ? » Il a pris au souffleur ?*

— Bien sûr.

— Le public s'en est aperçu ?

— Non.

— On a applaudi ?

— Oui.

Il poussa un soupir, glissa un doigt sous le bandage qui l'étouffait :

— Beaucoup ?

— Moyennement...

Sa main happa un journal plié sur la table et il s'en tapota la cuisse nerveusement. Son regard volait de la fenêtre à la porte et de la porte à la fenêtre sans se poser. Il respirait mal.

— Qu'appelles-tu « moyennement » ? dit-il encore. Plus ou moins que...

La niaiserie de sa question le frappa soudain. Il n'acheva pas la phrase. Il marmonna :

— Et il s'est fait mon maquillage, bien sûr ?

— A peu près... Sauf qu'il a laissé ses moustaches...

— Le nez rouge ?

— Le nez rouge, oui...

— Les cils au blanc gras ?

— Je crois...

— Et comment interprète-t-il le rôle ? Il charge ?

— Un peu...

— Plus que moi ?

— Je ne sais pas...

— Comment tu ne sais pas ? Tâche de te souvenir !...

— Moins, peut-être...

Il jeta le journal dans la corbeille à papiers. Il fit deux pas, pivota sur ses talons et elle vit cette figure ricanante aux petits yeux de bête qui l'effrayait.

— Et, bien sûr, les spectateurs ont préféré cette retenue à mon jeu de farce !

— Mais non...

Il eut un gargouillis de gorge, sourd, douloureux, qui lui précipita le sang aux pommettes :

— Allons donc ! tu viens de m'avouer que le public l'a applaudi plus qu'il ne m'avait applaudi, moi !

— J'ai jamais dit ça...

— Non ? Je rêve alors ? Ou je suis un menteur ? D'ailleurs, toi-même tu estimes que l'interprétation de Barbieux est supérieure à la mienne ! Ne proteste pas, on le sent trop bien ! C'est ton droit, remarque ! Mais je te préviens : je me fous des critiques qu'on m'adresse à ce sujet, parce que j'estime que le personnage de Pinglet est un personnage de vaudeville et doit être joué en charge ! Et je le jouerai en charge ! Et, demain même, je reprendrai le boulot pour jouer Pinglet en charge ! Même si cela doit déplaire au public ! Même si cela doit te déplaire !...

Une toux sèche le plia en deux, cramoisi, larmoyant. Il se laissa tomber sur une chaise. La quinte passée, il regarda le coin de la pièce où Reine se tenait, stupide, décoiffée, le chapeau à la main. Une phrase d'elle eût suffi, lui semblait-il, à l'apaiser. Qu'elle lui dît seulement : « Barbieux s'est montré au-dessous de tout ! » Ne comprenait-elle pas qu'il attendait cette phrase ?* Ou ne voulait-elle pas la prononcer ?

Elle s'avança. Elle lui posa une main sur l'épaule :

— Tu t'énerves... T'as l'air de croire que Barbieux
a été mirobolant*... Et, au fond, tu sais bien que vous
deux, ça ne se compare pas...

Mais il songea tout à coup que la pitié seule dictait
ces bonnes paroles. Elle ménageait un malade, flattait
une manie.

— Te donne pas la peine... j'ai compris...

Elle regarda autour d'elle, comme pour chercher un
visage ami. Puis, son regard revint sur Antoine. Elle
ouvrit la bouche pour répondre, se ravisa, balança la
tête avec un sourire désenchanté et prononça enfin
d'une voix mate :

— T'es éreinté, mon coco. Je vais te changer ta
compresse et te préparer un gargarisme. M'attends pas
pour te mettre au lit.

Il ne disait rien. Voilà, pensait-il, je l'ai perdue
comme j'ai perdu Jeanne, et, comme Jeanne, je ne
la retrouverai jamais.

*
**

Deux jours plus tard, il reprenait son travail et le
chaleureux accueil des camarades lui rendait un peu de
sa joie. On passait le voir dans sa loge, on l'interrogeait
sur le traitement qu'il avait suivi, on commentait le
timbre de sa voix, on lui reprochait même de n'avoir
pas attendu sa guérison complète pour revenir jouer.

— Je t'aurais bien remplacé un soir ou deux encore,
disait Barbieux. Bien sûr, ce n'était pas très fameux
et le public y perdait, seulement...

— Allons donc ! s'exclamait Vautier. Reine m'a dit
que tu as été étonnant ! Et cela m'a fait bien plaisir.
Je n'aurais pas aimé qu'on bouzillât* mon rôle !

A la sortie du théâtre, Reine Roy noua le foulard
d'Antoine, releva le col de son manteau et lui tendit

une pochette imbibée d'essence d'eucalyptus pour protéger sa bouche et ses narines, pendant le court trajet
de la salle à l'hôtel.

Il marchait à grands pas, le front penché, le mouchoir sur la face, comme un homme pris de saignement
de nez ou de vomissements. Lorsqu'ils eurent dépassé
le groupe d'acteurs qui se rendaient au bistrot, elle
s'écria :

— C'est égal ! C'que t'as bien joué, mon coco !

Une brusque allégresse le posséda. Il chuchota d'une
voix étouffée à travers le tampon d'étoffe :

— Tu trouves ? Je n'ai pas un peu trop poussé la
scène avec Julie ?

— Penses-tu ! T'as entendu comment que ça se gon-
dolait dans le public ? J'en avais chaud sous les bras
pour toi ! C'est beaucoup mieux maintenant que tu
roules les « r » dans « tonnerre de chien » !

— Ah, oui ! « Tonnerre de chien ! Tonnerrre de
chien ! » Ça te plaît ? C'est un truc qui m'est venu
hier. Et d'ailleurs je voudrais prendre un petit accent
méridional pour interpréter le rôle de Pinglet...

— Très bon, ça !...

Il était heureux de cette ferveur reconquise. Il en
jouissait en connaisseur, les paupières mi-closes, le cœur
rapide, comme si on lui eût caressé le visage d'un
bouquet odorant. Et, peu à peu, ces paroles flatteuses
le haussaient à un sentiment de confiance, d'arrogance
combative. Il ne craignait rien ni personne, et tout lui
devenait une cause d'allégresse. Ces rues vides et
sonores, ces maisons mortes de sommeil, ce ciel immense
d'un bleu de nuit soyeux et profond où des nuages
noirs avançaient, comme des éperons rocheux dans une
mer éblouie. Il dénoua son cache-col, enfouit son mouchoir dans sa poche et aspira une longue bouffée d'air.
Elle s'inquiéta :

— Ta grippe...

Mais il l'attira dans une encoignure de porte et elle se laissa embrasser à petites gorgées gourmandes, protestant et ronronnant entre deux baisers.

*
**

Le lendemain, toute la presse annonça la présentation du *Petit Prince Mirka* pour le soir même à neuf heures. Antoine relut plusieurs fois l'écho de quelques lignes que flanquaient deux photos du film. Cette fois, la chose était certaine. La menace prenait corps. Le supplice commençait vraiment. Il imaginait ces préparatifs de triomphe à la maison. La fièvre allègre de Jeanne et de Christian, les achats, les invitations... Il parcourait d'avance les lettres victorieuses qu'il recevrait de sa femme. Il entendait d'avance les compliments d'un Vigneral, d'un Barbieux. Et il se promettait de ne lire aucun article. Mais, il savait bien que, dès le jour suivant, il serait à l'affût des nouvelles. Ah ! tout cela recommencait qu'il avait cru fini ! Dans quel cercle enchanté tournait sa vie ! Il hésita un instant à mettre Reine au courant de l'affaire.* Assise près de la fenêtre, elle enduisait ses ongles d'un vernis rutilant. Le front penché, les cheveux sur le nez, la bouche entr'ouverte, comme une élève appliquée. La chambre fleurait le parfum, l'acétone. Un silence de recueillement et d'entente flattait le cœur. Devant cette image de bonheur intime, Antoine croyait vivre, en vérité, ses dernières heures de joie. Tout de même, la gorge nouée, les yeux perdus, il lui tendit le journal. Il commanda d'une voix basse :

— En haut de la page... à gauche...

Elle parcourut l'annonce, hocha la tête doucement.

— Ce soir à neuf heures ? dit-elle. Je comprends

que tu te fasses des cheveux, mon tout ! Mais je suis sûre que ce sera un gros succès !

Elle ne savait pas qu'elle appuyait de tout son poids sur une blessure. Elle riait clair et haut. Elle agitait ses petites mains pour sécher le vernis écarlate des ongles.

— Sans doute, ce doit être rageant pour toi de ne pas pouvoir assister à la présentation ! Mais tu liras des articles, tu recevras des lettres, on te fera des compliments...

Il voulut lui crier de se taire. Il chuchota :

— Laisse-moi...

Cependant, elle poursuivait, inconsciente :

— Pense comme tu seras heureux ! Et moi aussi je serai heureuse puisque tu seras heureux ! Viens m'embrasser... Mieux que ça... Mieux encore...

Il la repoussa rudement :

— Laisse-moi, je te dis.

Il n'avait pas eu la patience d'entrer dans un café, ni de s'asseoir sur un banc, ni même de se garer sous une porte cochère. Il s'était arrêté au bord du trottoir et les passants le bousculaient sans qu'il y prît garde. Le vent tourmentait le journal qu'il tenait déployé à bout de bras et qu'il lisait à présent, la tête avancée, le regard vif. Et, comme il lisait, une stupéfaction terrible précipitait les battements de son cœur. Les lignes dansaient devant ses yeux, le sens du texte échappait à son entendement, et il était contraint de reprendre chaque phrase avant d'en admettre vraiment la portée : « Nous estimons trop M. Despagnat pour lui dissimuler notre façon de penser. Nous sommes loin de *Jack* avec ce *Petit Prince Mirka* d'opérette. Bien qu'il ait pris soin de s'entourer des mêmes vedettes que pour son précédent film, M. Despagnat n'a pas su retrouver la tendresse, la simplicité, la profondeur qui faisaient le prix de cette production. Mais, la grande déception de la soirée, nous la devons, sans nul doute, à Christian Vautier. Cet enfant, dont le jeu sobre et pathétique nous avait bouleversés jadis, nous offre aujourd'hui une interprétation tellement concertée, tellement arbitraire, tellement artificielle du *Petit Prince Mirka,* que nous ne pouvons que le mettre en garde, pour l'avenir, contre sa dangereuse facilité. »

« Concertée, arbitraire, artificielle, » il répétait ces mots avec un égarement joyeux. Et, chaque fois, le

frappait davantage la sévérité de l'arrêt qu'ils exprimaient. Un verdict impitoyable. Une condamnation sans
recours. Mais que disaient les autres journaux ? Peut-être
avait-il sous les yeux le seul article défavorable à la
bande ? Peut-être certains quotidiens louaient-ils sans
réserve ce que critiquait celui-ci ? Peut-être avait-il eu
tort de se réjouir avant terme ?

Il revint au kiosque, acheta d'autres feuilles, les
ouvrit, parcourut fiévreusement les comptes rendus de
la soirée. Sous une forme plus ou moins franche, tous
signalaient l'indigence de la mise en scène et la médio-
crité du jeu de Christian. Certain chroniqueur reprochait
au gamin d'avoir voulu « trop bien faire », un autre
l'accusait de « cabotinage infantile »,* un autre encore
s'en prenait à Despagnat, qui n'avait pas su protéger
le « duvet de grâce et de spontanéité du jeune prodige »,
un autre enfin parlait de « dégonflage » et se félicitait
de n'avoir jamais admiré « ce ravissant petit monstre
publicitaire ». Et Antoine défaillait d'aise, comme si
ces critiques adressées à son fils eussent été autant
d'éloges dédiés à son propre talent. Il les trouvait toutes
justifiées, toutes mesurées. Il les reprenait une à une,
avec étonnement, avec gravité, avec reconnaissance ;
comme s'il eût voulu les apprendre par cœur ; comme
s'il n'osait croire encore à ce qu'il avait lu. Pourtant,
il ne pouvait plus douter. Bien sûr, il n'avait là que
l'opinion de cinq ou six journaux du matin. Bien sûr,
il fallait attendre le jugement des feuilles du soir, des
hebdomadaires, des revues, du public. Mais, dès à
présent, cet accord dans le blâme était assez évident
pour qu'on pût être certain de l'échec. Et cet échec
signifiait pour lui la revanche, le retour en grâce...
Au moment précis où il atteignait le fond de son tour-
ment, le sort trompait son attente et le comblait d'une
félicité qu'il n'avait pas espérée.

Mais Christian ? Mais Jeanne ?* Il songea tout à coup qu'à son exaltation répondait chez eux une tristesse honteuse. Il essaya d'imaginer ce pauvre groupe penché sur les journaux et lisant et relisant les articles mêmes qu'il avait lus. Et, déjà, il sentait un apitoiement étrange s'élever et gagner sur sa belle joie. Il se ressaisit. C'était trop bête, vraiment, qu'il s'inquiétât ! Certes, il se pouvait que sa femme, que son fils, fussent affectés de la défaite ; mais des amis les entouraient dont les compliments auraient tôt fait de les consoler. Peut-être songeaient-ils déjà à la prochaine bande que tournerait le petit ! Peut-être étaient-ils heureux ? Sans doute, ils l'étaient. Et il pouvait l'être aussi sans leur porter injure.

Il s'accota au mur d'une maison. Il inclina la tête. Et, les yeux clos, le souffle surveillé, il essaya d'envisager les conséquences probables de l'événement. Mais les prévisions se liaient et se déliaient dans son esprit sans qu'il en sût retenir une seule. Il fallait attendre que baissât en lui le feu allègre qui le consumait. Pour l'instant, il ne voulait qu'une chose : voir des gens, leur annoncer la nouvelle, guetter leur stupéfaction, entendre leurs réflexions ébahies, n'être plus seul enfin avec cette pensée qui l'occupait au point d'abolir toutes les autres. Il avait laissé Reine dans sa chambre. Il se devait de la prévenir d'abord. Hâtivement, il enfouit les journaux dans ses poches et se dirigea vers l'hôtel.

Elle laissa retomber le dernier journal et demeura un long temps, la face détournée. Il ne la quittait pas des yeux. Tout à coup elle se leva. Il lui vit un visage sérieux aux lèvres fermées. Deux bras l'enlacèrent, une tête roula sur sa poitrine et, d'une voix séchée, elle murmura :

— Tu peux pas imaginer ce que ça me fait, mon

toutou, de te voir malheureux !... C'est un coup dur pour toi, mais pense que t'as quelqu'un qui t'aime bien !... Et puis... et puis on rate un film, on en réussit un autre !... D'ailleurs, tous les canards n'ont pas dit leur mot !... Et encore, si tu savais quelles andouilles* que c'est qui les écrivent ces trucs-là !... J'en connaissais un qui envoyait sa bonne au cinéma et qui répétait tout juste ce qu'elle lui disait en rentrant !... Je suis sûre, moi, que c'est pas du pipi de mérinos,* ton *Petit Prince Mirka*. Et, tu sais, je sens ça... je sens ça là... J'ai des antennes, comme dit la mère Vaignes !... Alors, tu vois, c'est pas la peine de te mettre le sang en boule !*... Reste... reste un peu que je te console...

Elle lui caressait la nuque, les joues, d'une main aérienne. Elle le bécotait derrière les oreilles, avec de petits grognements enfantins. Il n'avait pas prévu cette commisération verbeuse. Il aurait dû se douter pourtant qu'elle ne pouvait que le plaindre de l'insuccès de son fils ; mais il avait espéré qu'elle devinerait sa secrète allégresse. Et elle n'avait rien deviné. Elle balbutiait, éperdue de tendresse :

— Mon pauvre chou, mon pauvre loup... Ça se passera... Tu verras qu'avec moi ça se passe toujours...

Ces discours apitoyés le contraignaient à paraître triste alors qu'une jubilation forcenée le possédait. Il crispait sa bouche que cherchait le sourire, éteignait ses yeux où venait un regard de gaieté, baissait le front qu'il eût aimé relever en vainqueur, se taisait enfin malgré que des paroles confiantes lui montassent aux lèvres. Elle se pendait à son cou, mendiait d'une voix engluée :

— Tu me fais peur à ne rien dire, coco... Parle-moi...

— Que veux-tu que je te dise ?

— Que t'es pas malheureux.

— Je ne suis pas malheureux.

— Tu le dis et je ne le crois pas...

Il leva un bras, le laissa retomber. Elle insistait :

— Je peux te croire ? Je peux te croire ?...

Il savait à présent qu'elle n'aurait pas ses confidences. Il prononça gravement :

— Ecoute : ne me pose plus de questions à ce sujet. Cela vaudra mieux, pour toi comme pour moi.

Elle se détacha de lui, recula d'un pas pour observer son visage, et gémit, avec une admiration suffoquée :

— Ce que tu dois souffrir, tout de même, pour me demander ça !

Lorsqu'il pénétra dans la loge qu'il partageait avec Ramier et un long gaillard jaune et noueux qui jouait les laquais et faisait les bruits de coulisses,* les deux hommes ne tournèrent pas la tête. Ramier se trouva subitement occupé à mélanger deux poudres dans un nuage blanchâtre d'alchimiste, et le gaillard jaune et noueux se mit à lustrer du doigt ses petites moustaches noires, ouvertes au-dessus des lèvres comme des coquilles de moule.

— Bonjour, dit Antoine.

— Tiens, c'est toi ? dit Ramier. Bonjour...

Antoine décela une gêne imperceptible dans cette voix qui feignait le détachement. Assurément, il savait déjà. Tout le monde savait. Mais on attendait qu'il parlât le premier. Il avisa sur la chaise un journal déplié à la page des spectacles. Ramier surprit le regard, rougit et se pencha plus bas sur ses boîtes :

— Tu as lu ? demanda Antoine.

Le vieux tourna vers lui une face convulsée d'amabilité :

— Oui, oui... j'ai lu...

Et, soudain, lui prenant les deux mains dans ses paumes poudrées, il dit :

— Ne te laisse pas abattre, Antoine. Il est tard.
Maquille-toi et joue comme si rien ne s'était passé.
C'est tout ce que je te demande. Mais, à l'entracte, nous
reparlerons de l'affaire.

A l'entracte, toute la troupe, prévenue par enchante-
ment, se retrouva dans la loge.

— Et moi, je t'affirme que la presse n'est pas si
mauvaise, disait Ramier. Certains ont noté que le
scénario était agréable, d'autres ont apprécié le jeu de
ton fils dans telle ou telle scène...

— D'ailleurs, reprenait Vigneral, le coup est régulier ! Il suffit qu'un critique ait loué quelqu'un dans un
premier film pour qu'il s'en morde aussitôt les doigts,
s'accuse d'indulgence, et se propose d'être plus sévère
pour le second. Ces animaux-là s'interdisent d'admirer
deux fois de suite par crainte de paraître naïfs ! Il est
même surprenant qu'ils n'aient pas été plus durs envers
le gosse ! Il doit s'estimer heureux !...

Antoine les écoutait avec une irritation croissante.
Quelle insistance ils apportaient à réduire le désastre
aux dimensions d'un simple accident ! On eût dit qu'ils
s'étaient donné le mot pour lui gâcher son plaisir, pour
lui saboter sa victoire !

— Un bon article n'a jamais amené personne dans
un cinéma, un mauvais article n'a jamais empêché
personne d'y aller...

— Ce sont les spectateurs qui font le succès d'un
spectacle...

— Des films qui sont mal partis connaissent tout
à coup une vogue prodigieuse...

— Et d'ailleurs le *Petit Prince Mirka* n'est pas si
mal parti...

Ils se renvoyaient la balle. Vautier enrageait de cette
compassion appliquée. Il dit :

— Vous me prenez pour un imbécile ! Je sais lire,

peut-être ! « Une interprétation concertée, arbitraire, artificielle... Un ravissant petit monstre publicitaire... Un... »

— Ah ! Tais-toi ! rugit Barbieux ; tu joues à te faire mal.

Après le spectacle, Antoine refusa d'accompagner la troupe au bistrot. Il ne voulait voir personne. Il ne voulait parler de rien. Depuis quelques heures, il ne savait quelle gêne se mêlait à sa joie. L'idée lui vint d'écrire à sa femme. Il s'en ouvrit à Reine qui l'approuva :

— Ça leur fera plaisir, en ce moment. Et, tu vois, je ne suis pas jalouse que tu y penses... Un petit peu tout de même... Mais embrasse-moi et ce sera fini !...

Elle se coucha. Il s'assit devant la table, sortit le bloc de papier, commença : « Chère Jeanne » et s'arrêta aussitôt. De nouveau, lui remontait à l'esprit l'image de ce pauvre groupe courbé sur les journaux et lisant et relisant les articles qu'il avait lus. Il voyait leurs visages unis dans une même expression désolée. Il entendait leurs paroles lamentables. Et il s'étonnait que ces deux êtres fussent encore aussi proches de lui. Plus proches même d'une minute à l'autre, d'un battement de cœur à l'autre, comme si vertigineusement s'évanouissait entre eux l'espace qui les avait séparés. Une merveilleuse pitié le prenait à les sentir ainsi tressaillant à l'injure des moindres critiques, se révoltant, se décourageant, pleurant, pressés l'un contre l'autre. Et sa tendresse s'exacerbait de ne pouvoir les atteindre. Il aurait tellement voulu pénétrer dans cette chambre où ils ne l'attendaient pas, se pencher sur eux, les serrer dans ses bras, les plaindre à lentes phrases berceuses, épier sur leurs traits l'annonce de l'accalmie, et, dans leurs yeux, le retour, enfin, d'un regard aimant ! Mais des

étrangers leur rendaient visite et les consolaient. Cette
idée, qui l'avait rassuré d'abord, l'exaspérait à présent.
Il souffrait que d'un autre leur pût venir cet apaisement qu'il n'était pas en mesure de leur apporter.* Mais
ne s'était-il pas félicité quelques heures plus tôt de leur
désarroi, n'avait-il pas applaudi aux attaques de la
presse, n'avait-il pas souhaité que tout le monde par-
tageât sa monstrueuse exaltation ? Il ne se retrouvait
plus dans cet homme orgueilleux, égoïste, qui frémissait
de plaisir en parcourant les premières critiques. Il s'in-
dignait des sentiments méprisables qu'il avait nourris. Il
abhorrait la vie étrange qu'il menait. Pourquoi demeu-
rait-il dans cette chambre d'hôtel provincial, alors que
Jeanne et Christian regrettaient peut-être son absence,
imploraient secrètement sa venue ? Il se leva. Reine
dormait, la tête tournée contre le mur. Comment avait-il
pu la suivre ? De quel droit ? Dans quel sot espoir ?

Il s'approcha de la fenêtre ouverte. Du ciel haut
lunaire et léger, des basses maisons endormies, venait un
silence de fin du monde. Il était tard. Que faisaient sa
femme, son fils, pendant qu'il veillait ainsi ? Dormaient-
ils ? Ou bien Jeanne, installée au chevet de l'enfant,
essayait-elle de le calmer à mi-voix ? Peut-être aussi lui
écrivait-elle, assise devant la table encombrée de paperasses, sous la lampe à contrepoids de porcelaine ?

Un pas s'avançait, tournait le coin de la rue. Le
sommier grinça. Antoine songea qu'il fallait se déshabiller, se coucher, éteindre... Mais, plus tard, lorsqu'une
horloge sonna deux heures, il s'aperçut qu'il n'avait pas
bougé.

Il était sans nouvelles de Jeanne depuis la présentation. Ses lettres mêmes étaient demeurées sans réponse. Et cette ignorance le poussait à imaginer le pire : un désespoir maladif, une crise nerveuse, ou quelque geste irréparable... Reine essayait bien de le distraire de ses pensées, mais il la rabrouait aussitôt. Elle ne comprenait rien à ce revirement d'humeur. D'autant, qu'à certaines heures il la recherchait, repris de tendresse larmoyante et qu'il la suppliait de ne pas le quitter, de le comprendre, de le plaindre. Il avait à ces moments-là un visage bouffi d'ivrogne, des yeux liquides qui la fixaient sans la voir et une voix de fièvre qui sonnait fort, comme s'il se fût adressé à quelqu'un qui n'eût pas été dans la chambre. Il geignait :

— Encore trois semaines ! Non, vingt-deux jours...

— Tu ne te plais pas avec moi ?

Il claquait des doigts avec impatience :

— Je ne dis pas ça. Mais j'en ai plein le dos de tourner ! Pas toi ?

— Oh ! moi, tu sais, pourvu que tu sois là...

Il écrivit à Delbec — en cachette — pour le prier de le relever de ses fonctions et de lui expédier un remplaçant. Il acceptait d'assumer les frais du voyage et des répétitions de la doublure. Delbec répondit par un refus catégorique, se retranchant derrière les termes du contrat, invoquant l'importance du nom sur l'affiche et le menaçant d'un dédit* ruineux.

Antoine accusa le coup. Son impatience devint une anxiété maladive. Il se sentait gagné par un besoin physique, impérieux comme la soif, comme la faim, de revoir Jeanne et Christian. Il passait des heures à contempler en esprit sa chambre noiraude, encombrée, à poursuivre une expression fugitive sur le visage de sa femme, de son fils, à recomposer la musique de leurs voix dans ses oreilles. Et, lorsqu'il atteignait à l'image souhaitée, dans un sursaut terrible le secouait cette pensée qu'ils étaient loin.

Un mot de Jeanne le rejoignit à Montélimar. En termes embarrassés, elle lui annonçait que Christian souffrait d'une angine, qu'il avait été affecté par la critique, mais qu'il reprenait confiance à présent, car il savait que Despagnat projetait de lui confier le rôle de Bonaparte dans un film sur l'enfance de l'Empereur à Brienne. Ces lignes réticentes ne firent que l'alarmer davantage. Une nouvelle lettre à Delbec reçut la même réponse que la première. Des démarches auprès de Barbieux échouèrent.

La tournée se traînait, sans grand succès, sans four définitif. Et il ne semblait pas que dût finir jamais cette corvée absurde. Des villes. Des casernes. Des manufactures.* Des écoles. Des squares. Des places de l'Esplanade, des avenues de la Gare, des hôtels du « Terminus » et du « Nouveau Monde », des bistrots, des théâtres, encore des théâtres... Et, partout, la même chaleur stagnante, comme une eau de marais, ou crevée soudain d'un coup de vent poudreux, bête, qui s'accrochait aux arbres, soulevait la poussière, claquait les portes, les fenêtres, et s'apaisait sans avoir amené la moindre fraîcheur.

L'idée de paraître sur scène, de réciter son texte, d'entendre rire, applaudir dans le trou noir où les spectateurs avaient mis bas leur veste, déboutonné leur col, lui était devenue odieuse. Il détestait la pièce, le public, les pays traversés, les camarades dont il subissait la présence. Et Reine Roy n'échappait pas à cette réprobation furieuse. Tout en elle le choquait : sa façon de chipoter dans son assiette aux repas, de se maquiller, de se parfumer à outrance, de dormir en chien de fusil, de voiler la lampe avec un jupon chaque fois qu'ils rentraient du théâtre, de l'embrasser, en lui demandant ensuite son opinion sur le baiser qu'il avait reçu (« t'aimes mieux quand je t'embrasse comme ça ou comme ça ? »), de le supplier de lui gratter le dos au réveil (« non, plus bas... à droite... là... là... encore... »), de lui raconter ses rêves avec une minutie déplaisante... Oui, cette petite femme frôleuse, flairante, toujours en quête d'attouchements, de balbutiements amoureux lui tapait sur les nerfs ! Il s'étonnait d'avoir pu la supporter pendant si longtemps. Il se plaignait d'avoir à la supporter pendant si longtemps encore. Au reste, elle devinait cette lassitude et cherchait à le retenir en multipliant les preuves de son admiration. Mais cette admiration même lui pesait à présent.* Il la jugeait indiscrète, sans discernement et comme de mauvaise qualité. Ce regard de chienne soumise, cette petite voix aiguë, accompagnant ses moindres gestes comme un grelot qu'il eût porté accroché à son cou, cette constante approbation de tout ce qu'il disait, cette attente extasiée de tout ce qu'il dirait... elle passait la mesure ! Ah ! qu'on le délivrât d'elle au plus tôt, ou qu'elle comprît elle-même et s'en allât ! Cependant, elle demeurait collée* à lui, et ne voulait rien d'autre que rester le plus longtemps possible près de lui, vivant dans sa chaleur, dans sa lumière, acceptant tout, subissant tout, aveuglée. Et il n'osait lui parler de rupture. Il évitait même les scènes dont il était si prodigue autrefois, par crainte que sa rage délivrée ne l'entraînât à des paroles, à des actes dont, plus tard, il se repentirait.

Il s'exhortait au calme. Il se maîtrisait. Cependant, cette contrainte ne faisait qu'aviver son ressentiment.

**

Dans les coulisses mal aérées, toutes les portes étaient ouvertes sur le corridor, soufflant leur haleine nauséeuse de sueur et de fard. On avait expédié la pièce devant une centaine de spectateurs égaillés dans la salle et qui se gavaient de bonbons. A présent, on se démaquillait en hâte, on s'aspergeait le visage d'eau tiède, on s'éventait à coups de torchons. Et ce soir, il faudrait refaire les malles. Et demain, il faudrait quitter Antibes,* tassés dans quelque autocar flambé de soleil, dont les vitres ne se baisseraient qu'à demi. Antoine sortit le premier et attendit Reine devant la porte. Elle arriva, crochetant le parquet d'un sec petit pas à la mesure de sa jupe étroite :

— On fait un tour ?

Dans le square, près des rochers de l'Ilette, il s'affala sur un banc, et elle s'assit à ses côtés, pétrissant des deux mains sa grasse patte* transpirante.

La mer flattait les grands rocs sombres dans une musicale rumeur d'approche mouillée, de ruissellement infini. A gauche de la baie, les lumières de Nice s'étageaient vers Mont-Boron. A droite, la masse violette et veloutée des pins bordait le golfe. Dans le ciel bleu une poussière d'étoiles demeurait prise.

— Ce que c'est beau ! On dirait une carte postale, dit Reine.

Cette phrase l'irrita soudain, comme un grincement de scie sur une pierre. Il se leva. Il dit abruptement :

— Rentrons.

— Pourquoi ? Je t'ai fâché ?

Le contact de ces doigts sur sa main, le son de cette voix, ce souffle quêteur... Il ne pouvait plus tenir.

— Mais non, dit-il, je suis crevé, c'est tout.

Il se coucha sur le canapé pisseux accoté au mur, déboutonna sa chemise jusqu'au ventre, lança ses bras à droite, à gauche, loin de son corps :

— Verse-moi un verre d'eau !

Il but, sans même redresser la tête et l'eau lui coulait en filet sur le menton. Il posa le verre sur le parquet. Il ferma les yeux. La petite voix détestée :

— Au fait ! Tu as reçu une réponse de Delbec ?

Il avait envie de dormir. Elle l'embêtait avec ses questions. Il marmonna :

— Mais oui... Il y a longtemps...

Et, tout à coup :

— D'où sais-tu ?

Hissé sur les coudes, il la dévisageait farouchement.

— C'est Barbieux qui m'a dit...

— Sans que tu l'interroges, peut-être ?

— Je ne lui ai rien demandé.

Il grommela d'une voix ramassée :

— Tu ne lui as rien demandé ! Bien sûr, tu ne lui as rien demandé ! Simplement, un beau jour, il t'a sorti : « A propos, sais-tu qu'Antoine a prié Delbec, etc... » C'est venu dans la conversation, comme on dit...

— Oui, balbutia-t-elle.

— Oui, oui, reprit-il sur un ton de conviction comique.

Et, comme il se levait, elle eut peur.

— Oui, oui...

Il avançait avec une lenteur menaçante et elle reculait vers le lit. Il s'arrêta soudain et cria :

— Je ne te crois pas ! Tu mens ! Veux-tu que je te dise ? Tu t'es méfiée de moi ! Tu es allée trouver Barbieux ! Tu l'as travaillé derrière mon dos ! Tu as essayé de lui tirer les vers du nez ! Et Dieu sait de quelles cochonneries tu as payé ses révélations !

La face rouge, la mâchoire tombée, il la considérait en soufflant rauquement. Elle gémit :

— Ce n'est pas vrai...

— C'est trop vraisemblable pour n'être pas vrai ! Dieu sait de quelles cochonneries !... Enfin, tu es renseignée, à présent ? Eh bien, oui ! j'ai écrit à Delbec pour demander un remplaçant ! Eh bien, oui ! je n'ai qu'une envie, c'est de foutre le camp !

— Pourquoi ne m'as-tu pas prévenue ?

Il suffoquait, les mains aux tempes :

— Pourquoi ? Ça c'est le bouquet !*

Elle répétait, butée, le regard sec, le menton tremblant :

— Pourquoi ne m'as-tu pas prévenue ?

— Tu m'aurais compris, sans doute, si je t'avais affirmé qu'après l'échec du petit il m'était indispensable de regagner Paris au plus vite ? Tu m'aurais compris si je t'avais expliqué que j'étais impatient de les consoler ? que mon devoir m'appelait auprès d'eux pour les consoler ? que ma conscience m'interdisait de demeurer une seconde de plus avec toi, alors qu'ils imploraient ma présence ? Tu m'aurais compris ?

— Je t'aurais compris...

Il rejeta la tête :

— Ta mauvaise foi rend la discussion impossible !

Il vira d'un bloc, s'approcha de la fenêtre. Et, soudain, il revint vers la jeune femme, les épaules rondes, le regard haineux sous les sourcils descendus :

— Tu m'aurais compris, dis-tu ? Tu m'aurais approuvé ? Sans doute ! A quoi pensé-je ! Tu as une si belle âme ! Tu préférerais souffrir que de me pousser à une mauvaise action !

Il tapa du pied les ferrures du lit :

— Alors, pourquoi m'as-tu forcé à te suivre ?* Tu savais bien que je n'avais pas le droit ? qu'on avait besoin de moi à la maison ? Tu as profité de quelques heures d'abattement ! Tu as exploité mon désespoir pour tes petites fins personnelles ! Tu m'as mis le marché en main ! Tu m'as décidé... Et tu n'as pas songé que je me décidais à contre-cœur ! que c'était un pis-aller ! que je ne t'aimais pas ! Car je ne t'aime pas ! Tu as beau chialer ! Je ne t'aime pas !...

Il lui assénait ces injures avec une délectation mauvaise. Il la sentait défaillir sous les coups rudes qu'il lui portait. Et il retardait le coup de grâce.

— Je ne t'ai jamais aimée !

Elle murmura :

— Tais-toi...

Il hacha la phrase :

— Je-ne-t'ai-ja-mais-aimée ! Je t'ai gardée par complaisance, par désœuvrement ! Bonne bête ! Je ne me doutais pas que tu m'espionnais, que tu allais mendier des renseignements sur mon compte auprès de Barbieux, que tu me couvrais de ridicule aux yeux des camarades ! Maintenant, c'est fini ! Je ne veux plus te voir !

Elle leva vers lui un visage où le rimmel avait coulé en encre sombre sur les joues, où le rouge des lèvres s'était étalé du menton jusqu'au nez :

— C'est pas possible !... C'est pas possible que tu penses ça !...

Il gronda :

— Va-t'en !... Prends tes affaires... loue une chambre autre part... ou va coucher chez Rose... mais va-t'en !...

Elle poursuivait :

— Il n'y a pas une semaine, tu me disais...

Il enfla la voix :

— Va-t'en !

Et, soudain, il lui saisit les poignets, les secoua, les tordit, hurlant :

— Tu t'en iras ?

Elle poussa un cri, s'arracha de sa poigne :

— Brute !

Effondrée sur le lit, elle sanglotait à grands hoquets, le nez dans le coude, les épaules soulevées. Il était fatigué et vaguement honteux. Il tournait dans la chambre, les bras croisés, les mains glissées sous les aisselles par l'échancrure de la chemise ouverte.

— Tu ne veux pas ? Tu ne veux pas ? dit-il enfin. Parfait... Mais je te préviens, tu coucheras seule... moi, je dormirai sur le canapé...

Aussitôt, il se jugea ridicule, voulut l'accabler d'une nouvelle insulte, hésita, haussa les épaules et se mit à rouler une cigarette. Mais ses doigts tremblaient. Il creva le papier. Il jeta papier, tabac, par la fenêtre. Que faire ? Reine pleurait toujours, la face aplatie dans le traversin. Il reboutonna sa chemise, ouvrit la porte, descendit l'escalier en trombe,* et fut dans la rue, où il commença de marcher sans but.

Le train venait de passer Nevers* et filait sur Paris à bonne allure tapageuse. Le front aux vitres, Antoine cherchait à lire les inscriptions kilométriques. Mais elles lui fouettaient les yeux, fauchées de vitesse, sans qu'il en pût discerner les chiffres : deux cent cinquante ou deux cent soixante ? La campagne coulait à pleins bords derrière les carreaux. Des plaines vertes, tournantes, des arbres rapides, des pièces d'eau oxydées de reflets, une femme surgie pour le seul geste d'agiter son bras ou de porter sa main en visière à son front, des routes soudaines, des maisons d'un instant, et, par-dessus cela, le bon grand ciel interminable, encombré de nuages en éponge, d'où giclait un éventail de rayons. Et, tout à coup, la vapeur rabattue dérobait le paysage. Le martèlement des roues, tantôt sourd, espacé, tantôt vif et sonore, endormait l'esprit. Antoine détourna la tête. Ramier lisait un indicateur. Mme Vaignes tricotait. Rose Minel nettoyait ses ongles avec une allumette. Quant à Reine, elle somnolait, le nez en l'air, la bouche ronde. Il la contempla sans animosité. Les derniers jours de la tournée avaient amené entre eux une détente dont elle s'était imprudemment félicitée. A présent qu'il allait retrouver les siens, il ne lui tenait plus rigueur de l'avoir décidé à la suivre. Il jugeait ses récentes colères aussi incompréhensibles que son lointain attachement.

Il s'étonnait que cette petite femme nulle fût parvenue à susciter en lui le moindre sentiment excessif. Chaque tour de roue l'éloignait d'elle. Maintenant, déjà, elle ne comptait plus. Elle était une camarade, comme les autres. Elle avait droit, comme les autres, à des paroles affables, à de menus services, à une indifférence commode. Sa vie, à lui, n'était plus là. Mais elle le guettait au delà de ces herbages, de ces forêts, de ces chemins nombreux...

Soudain, il reçut la gifle noire d'un tunnel. Le bruit des roues battait le tympan. Une petite lampe s'alluma au plafond. Puis, le grand jour, comme un seau d'eau fraîche, inonda le compartiment. Deux coups de sifflet aigus, délivrés, trouèrent le vacarme de métal. Barbieux passait en se dandinant dans le couloir :

— Il drope.* On sera à Paris pour onze heures...

Reine ouvrit les paupières.

— Pour onze heures ? répéta-t-elle avec une sérénité parfaite.

Les autres ne levèrent même pas les yeux. Personne n'espérait comme lui cette arrivée. Parmi ces hommes, ces femmes qui l'entouraient, lui seul connaissait la terrible joie de l'attente.

— Qu'y a-t-il à manger ? dit Reine.

Il avait acheté à Nevers une provision de grêles sandwiches, ensachés dans des enveloppes transparentes. Il lui tendit un sandwich. Elle le remercia du regard et avança les lèvres dans une moue de baiser enfantin. Elle était heureuse. Il était si gentil avec elle. Il ne lui cherchait plus querelle. Il ne l'observait plus avec cette ardeur méchante. Un autre homme, vraiment. Elle avala la dernière bouchée, et, à légères succions, délogea les miettes qui étaient demeurées prises entre ses dents. Il regardait ces grimaces gamines, il écoutait ce sifflement de salive aspirée et il s'émerveillait du calme nouveau qui était en lui. Elle but encore de la bière tiède dans un gobelet de carton. Puis elle se rendormit.

Le soir tombait. La vitre noire reflétait les visages grisâtres et la pastille pâle de la lampe.* Et, derrière cette image immuable, des ombres forestières se débattaient, couraient. Des lumières bombardaient la nuit : une petite gare, un signal,* le feu d'une maison perdue. Il jouissait bizarrement de cette course nocturne, de ce tintamarre, de cette odeur de fumée de charbon et de mangeaille, du spectacle même de ces faces abandonnées au sommeil et que le moindre cahot ballottait.

Le train ralentit dans un halètement crachotant. Les roues patinèrent. Un arrêt en rase campagne. Le silence agreste* dépaysait soudain. Un aboi de chien. Un cri de nocturne. Et Antoine s'irritait de ce retard absurde. Une minute, deux minutes coulèrent. Puis le convoi s'ébranla.

Mais Antoine ne tenait plus en place. Il se leva, franchit le barrage des jambes étendues et passa dans le couloir que balayait un courant d'air furibond. Des fantômes* de poteaux télégraphiques tombaient contre la vitre à intervalles réguliers, comme les rayons d'une roue.

Il sauta le premier sur le quai. Puis, il aida Reine à descendre. Des porteurs les bousculèrent.

— On va prendre un bock avant de se quitter ? proposait Ramier.

Vigneral, qui avait voyagé en seconde, se rapprochait du groupe :

— Je paie la tournée.

Antoine s'excusa : son gosse était malade ; on l'attendait ; un autre jour...

De nouveau les carnets sortis,* feuilletés, les adresses notées :

— Tu me mettras un mot.

Reine lui prit le bras, l'entraîna à l'écart. Elle pleurnichait à petite eau en secouant modérément les épaules. Elle marmonna :

— Et moi, quand est-ce que je te revois ?

Une locomotive entrant en gare les assourdit. Il lui caressait la main, par habitude :

— Eh bien ! quand tu veux... Les premiers temps je serai très occupé, sans doute... Le petit... ma femme... Mais après... Je t'écrirai... Ou je te téléphonerai à l'hôtel... Quel est ton numéro ?

Elle lui dicta son numéro. Et il l'inscrivit sur son carnet, parmi les adresses, les numéros des autres.

Il leva les yeux vers le cinquième étage. Mais nulle lumière ne veillait derrière les volets clos. Ils étaient dans la chambre de Christian, ou dans la cuisine peut-être. Il entra sous le porche, cria son nom au vitrage éteint du concierge, avisa l'inévitable pancarte d'arrêt momentané* suspendue à la grille de l'ascenseur et se rua, tête basse, dans l'escalier. Il reconnaissait, avec une gaieté de permissionnaire, les marches tendues de linoléum chocolat jusqu'au troisième et qui étaient nues au-dessus, les cartes de visite fichées derrière la rondelle des sonnettes, les meurtrières de la muraille. Il arriva devant sa porte, hors d'haleine, le cœur désordonné. Il avait tellement rêvé ce retour, l'accueil chaleureux, les récits, les questions, les projets, qu'il défaillait d'une allégresse hâtive. Il introduisit sa clef dans la serrure, la tourna d'un coup sec, poussa le battant. Et chaque geste était une récompense.

Mais l'entrée était obscure, et la porte de sa chambre et celle de la cuisine ouvraient sur un carré d'ombre. Il fit un pas. Il ne pouvait plus se contenir. Il alluma. Il cria :

— Jeanne ! Jeanne !...

La porte de l'autre chambre s'entre-bâilla doucement. Jeanne parut sur le seuil. Elle souffla :

— Ne fais pas de bruit... Le petit a pris sa potion... Il vient de s'endormir...

Elle s'avança, marchant sur la pointe des pieds. Il regardait ce vieux peignoir rose serré autour du corps, ce visage gras et blanc, ces yeux graves, ces lèvres chuchoteuses. Ces yeux graves surtout. Elle semblait préoccupée, à peine heureuse, à peine surprise de le voir. Elle disait :

— Pose ta valise dans l'entrée. Non, contre le mur. C'est ça : on rangera demain...

Rien d'autre. Comme s'il fût revenu du spectacle, comme si son absence eût duré quelques heures au plus. Il se répétait pourtant : « voici la minute que j'attendais, voici le bonheur que je sollicitais... » Et il s'efforçait de garder, de protéger comme une flamme contre le vent, sa joie radieuse qui tremblait déjà. Il pressait Jeanne dans ses grands bras mous et lourds, lui baisait le front, les cheveux en murmurant :

— Je suis heureux, — comme pour se convaincre lui-même.

Et elle répondait doucement :

— Mais moi aussi, Antoine... moi aussi je suis heureuse...

— Maman !

La voix de Christian. Elle se détacha de lui.

— Nous l'avons réveillé, dit-elle.

Elle paraissait fâchée. Elle demeurait debout, les bras pendants, indécise.

— C'est papa qui est avec toi ?

Elle prit la main d'Antoine :

— Viens, dit-elle, mais tu ne resteras pas longtemps...*

Il entra dans la chambre carrée, basse. Une boîte surchauffée. Cette odeur fade des draps de fiévreux. Ce relent d'acétylène des médicaments débouchés. Ces ténèbres maintenues autour du lit. Ce lit que la lampe de chevet éclairait à peine. Trop proche encore des souvenirs éventés, nomades, actifs de la tournée, il avait

l'impression soudaine de tomber dans un puits. Il se
dirigea vers la couche. Mais, dans l'obscurité, il heurta
une chaise qui lui barrait le passage. Il tressaillit au
bruit. Et il entendit derrière lui le claquement de langue
agacé de Jeanne. Il ne savait ce qui l'irritait plus de sa
maladresse ou de ce rappel à l'ordre.

Un abat-jour de carton ramassait la lumière sur la
table de nuit encombrée de verres, de citrons vidés, de
fioles, sur la couverture jaune que soulevait à peine la
saillie des genoux et des pieds. La figure du garçon
restait dans l'ombre. Cependant, comme Antoine se penchait sur lui, il distingua la face triangulaire, sculptée,
et dont les grands yeux noirs le dévisageaient fixement.
Le front luisait, les cheveux blonds, qu'on n'avait pas
coupés depuis la maladie, pendaient en mèches sur les
tempes.* Il ne lui avait jamais paru si petit, si faible, si
pitoyable qu'à cet instant. Un enfant, un pauvre enfant,
dépouillé de toute gloire, de tout apprêt. Une sollicitude
amère l'étourdissait. Il posa les mains sur ces grêles
épaules de fillette, embrassa les joues brûlantes :

— Il a encore de la fièvre, dit-il.

— Moins, dit Jeanne. Le docteur est content. Fais
attention, tu l'écrases !...

Antoine s'écarta avec humeur. Puis, il s'assit au
chevet, prit le poignet du gamin entre ses doigts. Il
caressait distraitement cette peau humide sous la manche
du pyjama. Les ténèbres, le silence, endormaient son
élan. Il ne savait de quoi parler, tout à coup. Il était
gêné de nouveau, comme auprès d'une femme, d'un
enfant étrangers. Jeanne discourait d'une voix amortie :

— Ça l'a pris brusquement, à la sortie de la présentation. Il faisait très chaud dans la salle. Christian
était trempé. Après le film, il a voulu boire une oran-
geade glacée. Le lendemain matin...

Elle répétait mot pour mot ce qu'elle lui avait écrit.

A quoi bon ? Il écoutait, les yeux vagues. Il hochait la
tête. Il disait :

— Ah oui ?

Il regardait les citrons coupés en quartiers, dont la
pulpe se hérissait, déchiquetée et sèche, le verre à demi
rempli d'eau, les fioles, le visage souffreteux :

— Mon pauvre petit !

Il s'étonna d'avoir prononcé cette phrase banale.
Il le plaignait pourtant. Il l'aimait. Mais la conscience
que sa pitié, que son amour ne pouvaient rien pour lui
l'affligeait au point qu'il préférait se taire. Jeanne
raconta encore la visite du docteur, les soins qu'elle
avait donnés, sa fatigue... Mais elle ne parlait pas du
film. Elle évitait d'en parler. Elle redoutait même,
semblait-il, qu'il en parlât. Il dit à un moment :

— On vit en sauvage pendant une tournée. On lit
un journal de temps en temps. On ne songe pas à en
acheter régulièrement...

Elle l'interrompit pour lui expliquer que les médicaments coûtaient très chers et que le docteur ne s'en
rendait pas compte. Puis, un silence s'établit entre eux.
Une attente anxieuse, vide, hors du temps. L'enfant
haletait doucement. Jeanne arrangeait les couvertures
relâchées. Plus tard, elle se leva, débarrassa la table
de nuit, jeta les écorces de citron dans un sac en papier.
Antoine la sentait nerveuse, épiant ses moindres gestes,
ses moindres mots, comme si elle eût craint qu'il ne
froissât le petit. Et de fait, il se jugeait déplacé, avec
son corps épais, ses grands bras, ses grandes jambes,
ses gestes larges, sa voix forte, son visage cuit de soleil
dans cette chambre feutrée de quiétude. Il avait l'impression de déranger un ordre minutieusement établi, de
troubler une intimité délicate. Il s'en voulait d'être si
pesant et si gauche. Une brute heureuse. Un intrus.*
Soudain, Christian demanda :

— Et toi, papa, ça a gazé ?*

Une allégresse subite l'envahit. Il se maîtrisa pourtant. Par décence, il s'interdit de paraître joyeux devant ce gamin malade, cette femme inquiète. Il commença d'une voix morne :

— Oui... Oh ! tu sais, une tournée n'est jamais qu'une tournée... Des patelins perdus... Un public absurde...

Mais, à mesure qu'il parlait, une fierté confuse lui revenait de ses modestes succès, de sa petite renommée. Il s'animait, forçait le ton :

— Certains soirs pourtant, on sentait une salle plus intelligente, plus ouverte... On se donnait... Et on était content d'être applaudi... Car une chose est certaine : nous n'avons pas essuyé un seul four...

Jeanne et Christian l'écoutaient sans mot dire. Il voyait ces deux visages impassibles devant lui. Il comprenait qu'il fallait se taire. Mais il se grisait de sa propre voix, de ses propres paroles. Et il ne pouvait plus s'arrêter :

— La presse nous a été très favorable...

Il s'enfonçait, il s'ébrouait,* maladroit, réjoui et furieux à la fois :

— Je te montrerai les articles, si tu veux...

Il avait chaud. Il ne savait comment se tirer d'affaire :

— Je les ai là...

Il porta la main à sa poche. Jeanne le retint :

— Tu fatigues le petit, Antoine... Laisse-le... Laissons-le... Viens...

Comme un homme pris de vin, il sentait que ses mouvements mal commandés, heurtaient, bousculaient l'objet qu'il eût aimé effleurer à peine. Il se leva, penaud. Il la suivit.

Il retrouva sa chambre avec un soulagement véritable. Là, du moins, il était chez lui. Il pouvait parler, marcher

à sa guise. Il jeta son veston, s'affala sur une chaise.
Mais son regard tomba sur la table nue.*

— J'ai rangé, dit Jeanne.

Il haussa les épaules :

— Où as-tu mis les vieilles coupures de presse ?

— Dans le placard.

— Tu leur adjoindras ce paquet.

Il revenait à son idée. Il tripotait dans sa main la
liasse de feuillets imprimés :

— Il y en a un petit tas, tu sais !

La certitude s'affirmait en lui qu'il fallait amener
Jeanne à lire ces articles flatteurs. Les critiques véhé-
mentes adressées à Christian serviraient de repoussoir
à ces éloges honnêtes. Elle les apprécierait au-dessus
même de leur valeur. Elle l'admirait au-delà même de
ses mérites.

— Si ça t'amuse de les voir ?*

Elle les prit, s'assit de l'autre côté de la table et
commença de lire. Elle lisait vite — trop vite, au gré
d'Antoine — sans que bougeât sur son visage l'expression de lassitude anxieuse qui la vieillissait. Il disait
d'un air détaché :

— Tiens, prends celui-là plutôt : il est assez rigolo...*
Là, ils ont fait une faute d'orthographe à mon nom...

Elle inclinait la tête. Se pouvait-il qu'elle fût insensible
à cet hommage discret mais unanime des journaux ?
Se pouvait-il qu'elle ne reconnût pas son erreur, qu'elle
ne se repentît pas de la peine qu'elle lui avait causée,
qu'elle ne revînt pas à lui, plus prévenante que par
le passé ?

Mais si. Voici qu'elle souriait en repliant le dernier
feuillet. Il retrouvait ce sourire triste à lèvres closes.
Et, tout à coup :

— Eh bien ! Tu es content ? dit-elle d'une voix
plate.

Il la regardait avec stupeur. L'échec du petit, sa réussite à lui, rien ne l'avait touchée. Elle était aveugle. Elle voulait demeurer aveugle. Il reconnut cette douleur sourde au niveau du cœur qu'il éprouvait à chaque déception. Il sentait que s'effondraient en lui, que fuyaient hors de lui sa joie, sa fierté, sa tendresse, mille choses inestimables qu'il avait eu tant de peine à reconquérir. Mais il réfléchit qu'il avait mal choisi son moment pour l'entretenir de lui. L'angine de Christian l'occupait tout entière. Et cela était bien naturel. Plus tard, peut-être... Tristement, il ramassa les coupures et les glissa dans sa poche.

— Maman, j'ai soif !...

Elle se dressa, lourde, se hâta vers la chambre :

— J'arrive, mon chéri !

Elle reparut, tenant un pyjama roulé en boule sous le bras :

— Il était en nage.* Je l'ai changé. Tout à l'heure, je prendrai sa température. Tu étais en train de me dire quelque chose ?

— Non, rien...

Ils se turent, isolés dans leurs pensées propres, étrangers l'un à l'autre, inconnus l'un de l'autre, comme ils ne l'avaient jamais été. Enfin, elle dit :

— Tu sais que Despagnat a promis à Christian de lui réserver la vedette dans son film sur Bonaparte. Eh bien ! ça fait près de trois semaines qu'il ne donne plus signe de vie, et les journaux annoncent que le premier tour de manivelle aura lieu dans un mois. Le petit est inquiet. Il croit que Despagnat a changé d'avis et que ce n'est pas ce film-là qu'il envisage de tourner, ou qu'il ne veut plus de lui comme interprète... Des idées absurdes !... Je lui ai dit que tu irais trouver Despagnat pour lui demander une confirmation de sa promesse. Je l'aurais fait depuis longtemps moi-même ;

mais je ne pouvais pas m'absenter à cause de Christian...

Antoine la laissait parler, n'osait l'interrompre. Une satisfaction trouble le gagnait à l'idée qu'il pouvait rendre service à l'enfant, qu'on s'adressait à lui pour renseigner, pour tranquilliser, pour défendre l'enfant. Cela avait plus d'importance qu'on ne le croyait. Il comptait encore. Il était encore là pour les coups durs.* On verrait, on verrait, de quoi il était capable ! Avec quelle ferveur il s'acquitterait de sa tâche ! Il serait persuasif, hautain, prudent, tranchant, retors. Il obtiendrait des précisions rassurantes. Il les rapporterait au petit. Et il n'aurait plus honte de ses grandes mains pour lui caresser les cheveux, de sa grosse voix pour lui raconter la bonne nouvelle.

— Tu pourrais y passer demain...

D'où lui venaient ce relâchement de tout le corps, cet amour houleux, cette agréable envie de pleurer qui se gonflait dans sa gorge. Il articula d'une voix éteinte :

— Demain, bien sûr...

Il se sentait au seuil d'événements indicibles et promis à toutes sortes de joies. Une réconciliation définitive venait de s'opérer à son insu entre lui et les autres. Il ne voulait plus se coucher. Il ne voulait plus dormir. Il ne savait comment fêter sa victoire.

— J'ai faim ! dit-il.

Despagnat déboucha le shaker et versa lentement un liquide couleur de rouille dans les deux verres.

— Je voudrais surtout, dit-il, que vous ne considériez pas ce refus comme une mesure vexatoire. J'ai été contraint de chercher un autre interprète... servez-vous d'amandes grillées... un autre interprète, parce que Christian n'avait pas le physique du rôle, un point c'est tout. Il fallait un profil de rapace, un œil bleu clair casé loin dans l'orbite, je ne sais quoi de sauvage et d'étriqué dans le maintien. Christian a un visage régulier, au nez court, aux yeux noirs... C'est à regret, croyez-le, que j'ai renoncé à sa collaboration. Je ne répéterai jamais assez combien j'estime son talent, son intelligence...

Il ne sut comment achever la phrase, avala d'un trait le cocktail, et claqua de la langue :

— Frappé,* dit-il.

Antoine sentait croître son désarroi. Il balbutia :

— Un metteur en scène de votre envergure devrait pouvoir fixer toutes les ressemblances avec le simple jeu d'un éclairage, d'un maquillage habiles...

— C'est de la haute fantaisie, mon cher ! On ne change pas la couleur d'un œil ni l'ossature d'une face. Et, d'ailleurs, nous répugnons de plus en plus à l'emploi des fards, des boulettes dans les narines, des injections

de paraffine sous les sourcils, des rides au collodion*
et autres coquetteries pharmaceutiques ! J'ai découvert
un gosse prodigieux : un Italien maigre, noir, calciné,
trépignant comme un fox. Une voix de métal...

Il s'emballait, les yeux vifs, la bouche rieuse. Et
Antoine s'étonnait de n'éprouver aucune haine pour cet
homme qui trahissait les promesses faites au petit. Il
n'avait eu d'autre idée en venant que de rapporter à
Christian une offre formelle de contrat. Il avait supputé
d'avance la joie qu'il goûterait à triompher de sa mission
délicate. Il s'était attendri d'avance sur son désinté-
ressement paternel. Et voici qu'un mutisme charmé le
tenait, bien que le metteur en scène dénonçât ses engagements. Il eût fallu lui couper la parole, l'assommer
de quelque affirmation sans réplique, lui arracher enfin
ce consentement que son fils attendait dans l'angoisse.
Mais il demeurait à l'écouter, sirotant ce breuvage
glacé, fumant, comme s'il se fût trouvé en face d'un
ami. Il n'avait plus le droit de se taire. Il dit :

— Qui vous garantit que votre nouvelle recrue aura
le talent du petit ? (L'indifférence de sa propre voix
le surprenait, et la pauvreté du propos aussi.) Un saut
dans l'inconnu, vous faites un saut dans l'inconnu !...

Despagnat pivota sur les talons :

— Je ne le nie pas. Mais, qui ne risque rien...
D'ailleurs, le gosse a tourné un bout d'essai remar-
quable !

— Ah oui !

Cette exclamation ! En vérité, il avait l'air de s'inté-
resser à la chose. Il voulut se rattraper. Il murmura
bêtement :

— Vous m'étonnez...

Puis il rougit et fixa ses mains d'un regard méchant.
Quelle sale petite joie bougeait en lui soudain ! Une
mesquine satisfaction d'amour-propre : la satisfaction

d'implorer une faveur pour son fils et qu'on la lui refusât.* Et il avait beau s'indigner contre ce sentiment, il se déployait, il le gagnait, il le submergeait sans peine. Que n'eût-il donné à cette minute pour être malheureux ! Comme il se fût admiré d'être malheureux ! Dans un sursaut de dignité, il protesta encore :

— Vous auriez pu, du moins, l'avertir de vos intentions. Ce ne sont pas... ce ne sont pas des procédés...

— Je ne voulais rien lui dire avant d'avoir arrêté mon choix, et c'est hier seulement que je me suis décidé.

— Peut-être avez-vous été influencé par la critique défavorable du dernier film ?

Il eut conscience d'avoir gaffé.* Despagnat éclatait de rire :

— Je ne me laisse jamais influencer par la critique.

Allons ! la partie était perdue. Mais comme il capitulait de bon cœur !

— Parlons un peu de vous, dit Despagnat. Cette tournée ?

Et il lui versait un second cocktail.

La fenêtre ouvrait sur le bois. Un ciel d'un bleu pâle rongé de soleil dominait la cime ronde des arbres. On entendait le roulement moelleux des autos, piqué soudain de coups de trompe. Un air tiède, vaguement parfumé d'asphalte, d'essence, de feuillage poudreux, arrivait au visage. Antoine parla de lui, raconta les inévitables anecdotes du bruit de coulisses manqué, de l'accessoire oublié (« Et le public ne s'est aperçu de rien ! »), du souffleur d'occasion qui brouillait les répliques. Despagnat riait de bon cœur. Et Antoine était heureux de l'entendre rire. Une sympathie certaine le liait à ce long gaillard au crâne nu, à la face pointue et jaune qui appréciait à ce point ses plaisanteries. Il se sentait bien. Il aimait cette pièce tendue d'étoffe pêche aux meubles carrés, polis et profonds. Il ne voulait plus s'en aller. Pourtant, il le fallait. Il but encore un cocktail dont le goût âcre, gelé, lui emporta la langue :

— Il est tard. Je dois partir...

— Vous n'attendez pas Monica ?

Il attendit Monica.

Elle vint bientôt, plus mince, plus fluide que jamais, dans une robe dansante aux lâches dessins de couleur et le visage plongé dans l'ombre radieuse d'un grand chapeau de paille. Son parfum, sa voix emplirent aussitôt la chambre. Et ses gestes avaient la grâce coulante des plantes sous-marines. Il admirait, il enviait la lumière, le luxe, la propreté de ce décor. Il songeait à la tanière* sombre qu'il lui faudrait retrouver.

— Je vous garde à dîner.

Il voulut accepter d'enthousiasme, mais se domina et refusa dans un effort valeureux. Despagnat le reconduisit jusqu'à la porte. Sur le palier, il lui dit encore :

— Annoncez-lui la chose avec ménagement. Je serais désolé qu'il m'en tînt rigueur, qu'il ne me comprît pas...

— Il vous comprendra, affirmait Antoine.

— Ce n'est pas possible ! Ce n'est pas possible ! répétait Jeanne suffoquée. Il t'a donné un prétexte...

— Si c'est un prétexte, il faut reconnaître qu'il l'a bien choisi. Tu ne peux pas nier que Napoléon avait les yeux clairs et que Christian les a noirs !

— Ce n'est pas une raison... Le public se contente d'un minimum de ressemblance...

— C'est bien ce que je lui ai dit.

— Non, l'affaire est certaine à présent. S'il ne veut pas de Christian, c'est qu'une cabale a été montée contre le petit. Tu ne peux pas t'en rendre compte parce que tu n'étais pas là au moment de la présentation. Mais la manœuvre crevait les yeux. Tout le monde s'en est aperçu. Tout le monde est venu m'en parler ! Et l'instigatrice du mouvement est cette Monica que tu t'obstines à trouver charmante ! Elle hait Christian, parce que, dans les films qu'elle joue avec lui tout le succès revient évidemment au petit !

— Dans le *Petit Prince Mirka*, pourtant...

— Tu vas la défendre à présent ?

Il la regardait avec une surprise amusée. Il ne lui avait jamais vu ce visage convulsé de colère, aux joues marbrées, aux yeux blancs. Il ne l'avait jamais entendue élever la voix à ces notes stridentes. Mais il suffisait qu'on touchât au petit pour qu'elle se rebéquât, soudain furibonde.

— Cette réflexion m'éclaire sur les arguments que tu as pu invoquer pour le convaincre ! Il t'a retourné comme un gant !*

Il se rebiffa :

— Je ne suis pas tombé de la dernière averse !

— Il fallait protester, crier, le menacer...

— De quoi ?

— Il s'était engagé...

— De vive voix seulement...

Elle se laissa descendre sur le sommier, haletante, les cheveux défaits. Elle pressait les deux mains contre sa poitrine :

— C'est égal ! il n'avait pas le droit... il n'avait pas le droit de nous faire ça !... J'irai le trouver !... Je lui parlerai !...

— A quoi cela t'avancera-t-il ?

— Ce que tu n'as pas su obtenir, je l'obtiendrai peut-être !... Il n'a encore rien signé !... Il n'a fait que promettre à l'autre, comme il avait promis à Christian !...

Une peur brusque le frappa qu'elle ne réussît dans sa tâche. Il bredouilla :

— Mais si... mais si... il a signé...

— Tu ne me l'avais pas dit ?

— Ah ? Tu es sûre... Tu m'étonnes... En tout cas, il a signé...

Ce lâche petit mensonge lui soulevait le cœur. Il se détestait pour cette seule phrase chuchotée du bout des lèvres et qui le jugeait. Il voulut se dédire, se corriger. Mais comment ? Et, d'ailleurs, que le metteur en scène n'eût pas encore signé le contrat ne changeait rien à l'affaire. Despagnat semblait décidé à se débarrasser de Christian. Rien ne le ferait démordre de cette idée. Il valait donc mieux ravaler son dégoût, se taire.

Jeanne le dévisageait, effondrée :

— Alors ?... s'il a signé... c'est que tout est fini... c'est... c'est qu'il n'y a plus rien à faire ?

— Il n'y a plus rien à faire.

— Mon Dieu ! mon Dieu ! gémissait Jeanne.

Et, soudain, elle reprit d'une voix folle :

— Tant pis ! J'irai tout de même ! J'irai !... Je lui dirai ce que je pense de lui ! Je ne peux pas... nous ne pouvons pas accepter cet affront sans protester ! C'est trop ! Et je ne comprends pas que tu saches garder ton calme devant cette infamie ! On jurerait que tu l'excuses, que tu l'admets, que tu l'approuves, que tu... que tu n'aimes pas ton fils !...

Il la saisit aux poignets de ce même geste brutal que Reine avait connu.

— C'est toi qui n'aimes pas ton fils ! dit-il.

Il se pencha sur elle. Il n'y avait presque plus d'air entre leurs deux visages. Si près de Jeanne, il distinguait mal cette face rose, soufflante, renversée, eût-on dit, dans un recul d'aversion devant sa bouche :

— C'est toi qui n'aimes pas ton fils ! Ne prévois-tu pas le tort que ta démarche peut lui causer ? Ne devines-tu pas que sa situation actuelle lui interdit d'implorer un rôle qu'on lui refuse ? N'as-tu pas conscience de la dignité qu'exige de nous notre métier ?

Il goûtait une douceur perverse à la raisonner. Comme un vainqueur exaspère la joie de sa victoire à relever, à panser le vaincu, de même il s'appliquait voluptueusement à consoler cette femme abattue. Mais elle s'arracha de sa poigne. Elle cria :

— Tout ça ce sont des mots ! Moi je ne vois qu'une chose...

Il ordonna sèchement :

— Tais-toi !...

Et il poursuivit aussitôt, cherchant d'une phrase à l'autre la conviction :

— Tu te désoles comme si ce refus était une condamnation à ne plus tourner ! Mais, que diable, il n'y a pas que Despagnat sur terre ! Je connais d'autres metteurs en scène, aussi cotés* que lui, qui ne demanderaient pas mieux...

Elle secouait sa grosse tête décoiffée. Elle reniflait ses larmes grotesquement.

Il revit dans un éclair la pièce lumineuse ouverte sur le ciel, sur le bois, où Despagnat l'avait reçu. Il était las. Il désirait en finir au plus vite. Il tapa du plat de la main sur la table. Il haussa la voix :

— Je dirai plus : je me félicite d'apprendre que Christian ne tournera plus avec Despagnat ! Despagnat n'a pas su le diriger, l'utiliser comme il l'aurait fallu ! Il est le seul responsable de son insuccès ! Si le *Petit Prince Mirka* est un navet...*

Il s'arrêta, pétrifié. La porte venait de s'entre-bâiller et Christian se tenait sur le seuil, livide, les bras pendants, l'épaule accotée au chambranle.

Christian émergea de sa maladie amaigri, transparent, étiré. Il passait ses journées de convalescence à flâner de chambre en chambre, collant le front aux carreaux, bâillant, parcourant un journal, contemplant dans la glace* son visage enlaidi d'épuisement, au nez pincé et cireux, aux joues vides. Il parlait à peine. Il renâclait devant les plats. Jeanne s'inquiétait de cette tristesse muette, mais n'osait ni se plaindre, ni le plaindre, en sa présence. Elle se rattrapait avec Antoine. Il l'écoutait, il essayait de la tranquilliser par quelque discours lesté de bon sens. Mais qu'il essayât de la tranquilliser, même, l'exaspérait. Un jour, il conseilla de renvoyer Christian au lycée, en attendant qu'on eût découvert pour lui un nouvel engagement.

— Tu veux donc l'achever ! s'exclama Jeanne. J'ai peur qu'il ne me fasse de la neurasthénie* et tu prétends le pousser à reprendre ses études !

Cependant, l'argent manquait à la maison.* Mille petits faits décelaient la gêne imminente. Antoine épiait avec une secrète satisfaction le retour de ces signes avant-coureurs du désastre. Ils évoquaient pour lui la vie pauvre et plaisante qu'il avait menée avant le succès du petit. Ils l'incitaient à croire qu'ils ramèneraient avec eux cette entente familiale qu'Antoine

poursuivait depuis des mois sans l'atteindre. Ils le ras-
suraient mieux que ne l'eussent fait des paroles.

Le gaz avait envoyé un avertissement. Une forte
somme manquait pour *payer le terme. Certains fournisseurs se plaignaient qu'on ne réglât pas leur note
et il fallait changer d'itinéraire pour éviter de passer
devant leur boutique. Antoine proposa de vendre le
poste de radio qu'on avait acheté sur le premier cachet
de Christian. Et, le poste vendu, il éprouva une gaieté
bizarre à ne plus voir cette masse de bois marron posée
sur la cheminée et qui lui rappelait son abaissement.
Il vendit aussi le service à thé, dont Jeanne avait fait
l'emplette avant d'inviter Despagnat et Monica chez
elle, une lampe, un appareil de photo... Chaque place
vide était un terrain gagné.

Cette atmosphère de paiements différés, de dépenses
surveillées, de maigres profits, de combines mercantiles,
de tracas, de calculs, lui rendait une vigueur heureuse.
Il était dans son élément. Il ne craignait personne. Il
dépassait tout le monde. Il reprenait la tête de la
maison. D'abord, il fallait trouver du travail. Il recom-
mença de courir les agences. Il revenait le soir, harassé,
volubile. Jeanne l'interrogeait, anxieuse :

— Du nouveau ?

Et cette anxiété lui était douce comme un compliment.

— Il y aura peut-être quelque chose aux Variétés...
Mais ce n'est pas sûr... Je serai fixé demain... J'ai
rencontré Guéretain... Il joue chaque semaine à la
Radio... Il tâchera de me caser*... J'ai vu aussi...

Comme elle le dévorait des yeux pendant qu'il parlait ! Sans doute comprenait-elle à présent qu'elle ne
pourrait plus se passer de lui, que lui seul saurait les
tirer d'affaire, que lui seul était digne de son admiration !

Lorsqu'il lui apprit enfin qu'il avait signé un engagement de trois semaines dans un théâtre de quartier,

elle devint toute rouge et une telle joie éblouit son regard qu'Antoine ne douta plus de l'avoir reconquise.

Le soir même, il recevait une lettre de Reine Roy qui s'inquiétait de son silence et le suppliait de répondre au plus vite. Il la jeta au panier et ne répondit pas.

Il se démaquille en hâte* dans la turne étroite à relents de plâtre et de moisi. Il entend, dans les loges voisines, l'eau couler, gicler, et des voix qui se disputent. Un pas lourd hésite devant son réduit, s'éloigne, s'arrête un peu plus loin. On frappe à côté. Une porte grince :

— Ça par exemple ! Tu étais dans la salle ? Alors, ton impression ?

Et, aussitôt, le ton baisse, les paroles s'engluent dans un chuchotement de confidences malveillantes. Antoine se rhabille, fourre son faux col dans sa poche et sort.

La rue est assommée d'une immobile tiédeur nocturne. Les maisons rêvent debout, toutes fenêtres ouvertes sur leur ombre intérieure, dépoitraillées,* indécentes, et on les devine affreusement habitées d'hommes, de femmes, de gosses suants à pleine peau, abrutis de chaleur et de mangeaille et qui dorment mal. Mais quelques fenêtres sont allumées. Et, à chaque trou de lumière, correspond, au rez-de-chaussée, au premier, une perspective de lit préparé, ou de table à demi desservie, et une silhouette qui rôde avec des lenteurs de poisson, en contournant les meubles. Ce monceau de petites vies intimes déballées sur le trottoir l'irrite, comme la persistance d'une mauvaise odeur à son talon. Il presse le pas. La maison n'est pas loin du théâtre. La voici déjà, grande bâtisse grise échouée au coin de la rue, avec ses rangées de croisées béantes qui respirent paisiblement dans la nuit. Le cinquième est éclairé. On l'attend. L'ascenseur le hisse d'étage en étage. Il ouvre la porte. Il entre. Il est chez lui.

L'odeur connue l'accueille, des poireaux, de l'encaustique. Le couvert est mis dans sa chambre, sur la table sommairement déblayée. Sur un coin du meuble, il aperçoit l'étui à savon plein de cigarettes fraîchement roulées, la boîte de cachets. Jeanne a tout préparé selon des habitudes longuement formées. Rien ne cloche. Chaque coup d'œil devrait le rassurer. Et, cependant, il n'est pas à son aise.

Jeanne entre, portant un saladier, une assiette de viande froide. Elle est vêtue de son vieux peignoir rose ceinturé trop bas. Elle semble reposée et distraite.

— Quoi de neuf ? dit-elle.

L'intonation le surprend tout à coup. Jadis, cette question décelait une curiosité aimante, sollicitait une réponse sincère ; aujourd'hui, elle sonne à ses oreilles comme une formule de pure convenance. Le « ça va ? » qu'il échange quotidiennement avec ses camarades n'est pas plus fade que ce propos. Il répond cependant :

— Rien de bien sensationnel... Deux ou trois cents personnes dans la salle... Un public assez chaud...

Il n'éprouve qu'un plaisir médiocre à lui raconter sa journée. Il la devine attentive au bruit que fait Christian dans la chambre voisine. Elle appelle :

— Christian !

Le gamin apparaît dans l'encadrement de la porte, la démarche traînarde, le visage clos de sommeil. Il s'effondre sur le lit qui crie. Il se gratte la tête à cinq doigts. Antoine s'efforce de lutter contre la détresse qui le gagne :

— L'auteur est revenu aujourd'hui. Il a décidé de

rallonger ma scène. Ça fera quatre ou cinq répliques de plus. Pas grand'chose, mais le geste est assez significatif.

Une longue pause, et, tout à coup, comme tirée d'un rêve, Jeanne balbutie rapidement :

— Bien sûr... bien sûr...

Il dit encore :

— Guéretain est passé me voir à l'entr'acte...

Décidément, personne ne l'écoute. Ou plutôt si, Jeanne, Christian, l'écoutent, mais par habitude ou par devoir, et les mots qu'il prononce n'éveillent en eux qu'un ennui lassé. Il se gêne soudain de leur rapporter les flatteries massives de Guéretain. Il craint de leur paraître prétentieux, ridicule. Vite, il achève :

— Enfin, Guéretain s'est débrouillé pour m'avoir un engagement à la radio. Je jouerai à raison de deux fois par semaine pendant deux mois...

Et voilà que Jeanne avance un visage réveillé, étonné, joyeux :

— Tu dis ? Deux fois par semaine pendant deux mois ? Mais ce serait parfait !

Il reçoit cette secousse au cœur si familière. C'est donc là ce qui l'intéresse ! Apprendre qu'il va signer un contrat, et qu'il touchera de l'argent sous peu, et qu'on pourra même emprunter sous la garantie de cette rentrée imminente ! On ne lui roule ses cigarettes, on n'attend son retour, on ne lui parle, on ne l'écoute, on ne le supporte qu'autant qu'il fait vivre la maisonnée. Ces égards lui sont dus non plus parce qu'on le prise, mais parce qu'il est utile. Ces signes, qui exprimaient jadis une tendresse véritable, ne sont plus aujourd'hui qu'un remerciement banal, qu'une vulgaire monnaie d'échange. Donnant donnant. Et il n'a rien le droit de réclamer au-delà de ce qu'on lui donne. Mais il se moque de ces marques de respect ! Ce qu'il veut, c'est la confiance, l'affection, l'admiration perdues, et cela il comprend bien qu'il ne l'obtiendra plus !* Sa femme ne saura plus accorder la moindre attention à sa carrière hésitante. Christian pourra ne plus tourner, ou ne tourner que des rôles secondaires, ou n'essuyer que des échecs, le souvenir de sa renommée d'un instant vivra toujours dans l'esprit de Jeanne et l'aveuglera pour tout ce qui n'est pas lui.

— Combien crois-tu qu'ils te paieront à la radio ?

Il baisse les yeux :

— Je ne sais pas...

Et, pour qu'elle le laisse en paix, il ajoute :

— Tout ça, ce sont des projets en l'air... Il ne faut pas s'emballer...

Christian se dresse, s'étire et regagne sa chambre en claquant des savates.

— Tu ne le trouves pas un peu pâlot ? dit Jeanne, lorsqu'il a refermé la porte. Tu devrais t'occuper de lui. Il se ronge à ne pas tourner...*

Il promet. Elle bâille, se frotte les paupières. Il remarque ces mains courtes et grassouillettes. Le poignet est badigeonné de jaune par l'acide picrique.*

— Tu t'es brûlée ?

— Oui.

Un silence. Elle s'évente avec une serviette en papier :

— Quelle chaleur ! Heureusement que chez nous l'eau est encore assez fraîche. Je me demande pourquoi, d'ailleurs ?

— Les conduites sont bien protégées, sans doute.

— Oui, sans doute.

Un nouveau silence. Plus rien à dire. Ah ! si :

— Demain, je ferai une salade de fruits.

Antoine sent que cette journée est l'image exacte de toutes les journées qui vont suivre. Ils vivront côte à côte. Ils feront les gestes quotidiens, ils prononceront les paroles quotidiennes. Rien n'aura changé entre eux, en apparence. Mais, en vérité, un monde les séparera : leur fils.

Elle se lève, dispose la vaisselle sur un plateau et se dirige vers la cuisine :

— J'en ai pour cinq minutes.

Il reste seul dans la chambre. Et cette solitude le refoule aussitôt à quelques mois en arrière. Il se revoit dans cette même pièce, en face de ces mêmes objets. Jeanne s'indigne de son découragement, lui prodigue compliments, assurances, et il s'enfle d'un bel orgueil à la chaleur de son admiration : « Tu as tous les atouts en main... le physique, l'expérience... je voudrais te guérir de cette modestie absurde... » Voix de Jeanne, regard de Jeanne à cette minute. Il ne les retrouvera plus. A cette pensée, une peur étrange le prend à la gorge, comme si sa seule raison de vivre venait de lui être volée, comme si tout désir, toute habitude de vivre, l'abandonnaient. Il se sent exilé et las, désarmé et plein d'ennui, inutile. Il voudrait pleurer du moins, ou crier. Mais il demeure muet et calme, frappé d'une détresse définitive. Et il se demande quelle force le retient encore de glisser, de tomber sur le sol.

Il s'approche de la fenêtre ouverte sur la rue. Toutes les croisées sont éteintes. Il fait moins chaud, maintenant. Le ciel est finement constellé, comme à Antibes. Plus lourd, plus opaque pourtant. Antibes. Il se souvient de la petite Roy lui caressant la main dans le square obscur. Et il n'éprouve qu'un dégoût fatigué à l'idée de cette caresse pressante. Il ne la recherchera plus, il le sait. Ni elle, ni aucune autre. Il se penche sur le rebord de la fenêtre qui lui scie le ventre. La rue est très basse, étroite, déserte, flanquée de réverbères dont la clarté oblongue et jaune ajoure la nuit. Un homme sort de l'immeuble d'en face et s'éloigne. Une auto passe. Il se penche un peu plus. Il imagine la chute balancée d'un corps aux membres écartelés, au veston rabattu sur la tête, le choc, l'écrasement, la nuit... Mourir. Aux heures de grande détresse, il n'a jamais envisagé cette pensée sans la repousser aussitôt, et voici qu'à présent, au soir d'une journée qui ne s'avère ni plus triste, ni plus aimable que les autres journées, et sans qu'aucun événement n'ait soulevé son indignation, il l'accueille avec un calme étonnant. Oui, mourir. S'évader hors de ce monde confus et grisâtre ! Ne plus revoir cette chambre mal éclairée, cette femme au visage gras et blanc, aux bandeaux luisants, dont chaque parole, dont chaque regard avive sa torture, ce gamin aigri, sournois, ricaneur, qui lui barre la route ! Ne plus poursuivre cette existence empoisonnée dès la source et dont le cours régulier l'épouvante !

Comme il est seul, comme il est loin, comme il n'est plus déjà ! Un geste le sépare de la joie totale. Il se penche encore. Il voit la bouche d'un égout ouverte au ras de la chaussée, et, devant la bouche d'égout, un chiffon de papier blanc roulé en boule. Soudain, il n'y a plus que ce chiffon de papier blanc roulé en boule dans toute sa conscience. Ses mains lâchent la barre d'appui et se tendent comme pour tâter l'air comme pour prévenir une chute. Il se hisse sur la pointe des pieds, avance la tête, le buste, au-dessus de l'abîme. Le vide l'entoure, le supporte un instant et, brusquement, il se sent requis par une force puissante et douce, attiré, aspiré, happé vertigineusement. Il perd l'équilibre.

Un bruit de vaisselle brisée.

— Antoine ! J'ai cassé les assiettes !

D'un déchirant coup de reins, il se rejette en arrière. La sueur ruisselle sur sa grosse face blafarde. Le sang tape ses tempes comme une corde. Il s'affale sur une

chaise. Il étouffe. Il grelotte. Une peur désordonnée
l'abrutit. Qu'allait-il faire ?

Jeanne s'impatiente :

— Il y en a partout ! Viens m'aider à ramasser les
morceaux.

Il se lève, hagard. Il fait un pas, deux pas. Il se sent
mieux. Il dit :

— Je viens...

NOTES TO THE TEXT

These notes are primarily intended to explain cultural references and to draw attention to words and phrases used by Troyat in an unusual or particular way. In addition students are recommended to consult the Collins–Robert dictionary.

Page

5 **crayonnage:** literally, pencil-drawing; here, lines.

impériale: goatee beard.

6 **oiseau migrateur:** The image of the migratory bird reinforces the transient, unreal quality of the Vautier family.

Un accessit au Conservatoire: a certificate of merit from the Conservatoire d'Art Dramatique (the French equivalent of RADA).

Odéon: the major classical repertory company of the Parisian theatre.

silhouettes: walk-on parts, extras.

saynètes: short playlets.

bénéfice: a charity concert.

Bois-Colombes, Belleville: working-class suburbs of Paris.

Châtelet: a popular Parisian theatre.

7 **éboulement de vaisselle:** The repetition of this image connects with the literal breaking of crockery which prevents Vautier's suicide.

vaudeville: a light, popular, music-hall comedy.

turne: a small, claustrophobic room.

8 **inhalations à l'eucalyptus:** the first indication of the way in which Vautier's care for his health takes the form of dominance over his wife.

rumeur marine: an image which looks forward ironically to the applause at the première of *Jack*.

Page

9 **melon cabossé:** a dented or battered bowler hat.

avant le cinq: before the fifth act.

une bouille à la Chaliapine: a face like Chaliapin's (a famous Russian operatic singer, b. 1873, d. Paris, 1938).

il travaille de la boîte à cornes: he's really laying it on.

le frère: colloquial, 'our friend'.

four: flop.

amendes: When a play is going badly, expenses can be saved for the management by imposing fines on the actors for trivial offences, like Guéretain's removing his make-up before time.

10 **le prud'homme! . . . l'huissier! . . . la correctionnelle! . . . :** the industrial tribunal, the bailiff and the magistrates' court.

ganache: fool.

un costume de ville . . . : In this description of Vautier's town clothes, Troyat emphasizes the hypochondria and the studied bohemianism.

comme sur un crâne: a reference to Vautier's desire to play Hamlet.

11 **écumer les agences:** to run round the theatrical agencies.

figuration: a walk-on part, an extra.

seccotine: secotine, a brand-name of a type of glue.

taquiner la fesse: to play around with women. Guéretain's down-to-earth speech is in sharp contrast to Vautier's pretentious posing.

12 **Pourquoi n'essaierais-tu pas?:** a further example of Vautier's use of a written, formal French construction.

houpette: powder-puff.

pomponnée: dressed-up, an adjective which reinforces the artificial, disguised aspect of Reine Roy.

13 **macaque:** ape. Troyat has faithfully used the popular speech mannerism of 'je *te* l'ai remis à sa place'.

Bibendum: the rotund Michelin tyre-man.

14 **Luminex:** Vautier and his colleagues are very much members of a consumer society, as emphasized later by the commercial sponsorship of the radio play, *L'Usurpateur*.

15 **sa grave voix d'orgues:** a description which ironically prefigures the organ music at the *première* of *Jack*.

16 **Elle en cueillait une pincée . . . les extremités:** This meticulously detailed description of Jeanne's preparation of Vautier's cigarettes emphasizes her subservience to him.

risques de tabagie: Vautier's inability to give up smoking and his spurious excuse underline his lack of will and his self-delusion.

17 **bâton Leichner:** stick of grease-paint.

Quelques photos . . . de melancolie: In *L'Araigne*, Troyat similarly draws attention to actors' photographs on the wall of Gérard's sister, Marie-Claude. See *L'Araigne*, p. 42.

le théâtre de ses exploits domestiques: an image which, apart from its banal meaning, reinforces the way in which the theatre dominates Vautier's life.

18 **un lieu sacré:** the accumulation of exaggerated adjectives serves to indicate the extent of Jeanne's adulation.

Comœdia: the French theatrical trade magazine. It ran intermittently from 1908 until the Occupation.

miroir: Jeanne's failure to recognize herself in the mirror adds a further ambiguity to the relationship between her and Antoine.

20 **composition:** test.

la mine pleurarde: Christian has inherited from his father the ability to mime any necessary emotion.

un peu trop facilement: Troyat has carefully underlined Jeanne's exaggerated weakness towards Christian.

21 **Sapho:** Christian's imitation of his father announces his supplanting of him later on.

22 **un geste en vrille:** a spiral, corkscrew gesture.

Dis la réplique: That Christian and Jeanne should, literally, play a love scene together emphasizes the artificiality, but also the inversion of established family relationships.

en cul de poule: pouting.

23 **Un feutre ailé . . . imperméable:** Vautier appears as the very image of the Bohemian actor, as incarnated in Toulouse-Lautrec's poster portrait of Aristide Bruant.

24 **effilochée:** literally, frayed.

rase-motte: literally, hedge-hopper.

Générale: dress-rehearsal.

25 **l' 'Union':** the 'Syndicate'

Boivin: a choice of name that indicates Troyat's debt to Flaubert, who makes consistent use of bovine names, e.g. Bovary, Bouvard.

26 **tous les atouts en main:** you hold all the trumps; you have every advantage.

emballée: thrilled to bits.

Page

26 **au trois:** in the third act. Jeanne has totally absorbed Antoine's professional theatre vocabulary, as she will that of the cinema for Christian.

je buvais du petit lait: I lapped it up.

27 **Douceur de vivre . . . son public:** Nowhere does Troyat make Vautier's theatrical domination of his family more explicit.

bouillabaisses: literally, fish-stews. Here: undistinguishable verbiage.

collé à la rampe: glued to the footlights.

chic: kind, generous.

28 **ragots de coulisses:** back-stage gossip.

29 **fente de tirelire:** slot of a money-box. The image emphasizes the constant financial preoccupations of the family.

31 **Relâche:** Closed; no performance.

le cachet de trente représentations: Vautier's contract stipulates a minimum fee for thirty performances.

32 **poursuivre en justice:** to take to court.

une rage de surenchère: wild exaggeration.

Crédit Municipal: municipal loan office and pawnshop.

jeune premier: the male lead.

rahat-locoum: Turkish delight.

33 **chef de rayon:** the head of a department in an office or store.

Le grand art . . . sous la dent: a remark that is cruelly turned against him by Guéretain after Christian's success. See p. 95.

34 **boulevard de Strasbourg:** a major road in the 10th *Arrondissement* of Paris.

35 **Toutes les tables sont prises:** for this highly visual scene, Troyat switches to the present tense.

bouillon 'kub': the cheapest possible kind of soup, made with a cube.

la sommation avec frais des impôts: the income-tax demand, with a supplementary charge for lateness.

Le smoking au clou?: Pawn the dinner-jacket?

figuration habillée: a walk-on part in evening dress.

36 **basse-taille:** bass baritone. Troyat continually emphasizes Vautier's conscious modulation of his voice.

37 **régisseur:** assistant director (in the cinema).

Jack: the title of a novel by Alphonse Daudet, written in 1875 and of extreme sentimentality, describing the fate of a young boy forced by his mother's lover to be apprenticed to an iron-foundry.

Page

37 **bouts d'essai:** screen tests.

38 **certificat:** the *certificat d'études*, the basic school leaving certificate.

bachot: the *baccalauréat*: the higher leaving certificate which permits entry into university.

gratter dans une administration de quinzième zone: to slog away in a fifth-rate office.

Et je pourrais le conseiller!: the beginning of the cruel irony of Vautier's position.

40 **Nous bouffons à peine à notre faim!:** We're hardly getting enough to eat.

Et, chaque fois . . . pour l'éviter: By making Vautier duck his head each time he passes under the lamp, Troyat neatly deflates his indignation.

il s'arrêta devant l'évier . . . d'un trait: an action which looks forward to the sound of Vautier drinking before his flight with Reine Roy. See p. 118.

41 **tain:** silvering. A further appearance of mirrors in the novel.

la pose: a typical description of Vautier's self-consciousness.

42 **peinture bise:** grey-brown paint.

lunettés d'un cerne bistre: his eyes with blackish-brown rings.

43 **corrigeaient d'une pichenette:** flicked back into place.

ses projets, son espoir: an intimacy which evokes, fleetingly, the complicity between Guillaume and the narrator of *Faux-Jour*.

44 **Ces conseils, ces grimaces:** The juxtaposition of *conseils* and *grimaces* underlines the melodramatic nature of Vautier's acting.

45 **déclics de fermoir:** the sound of clasps being undone.

Vautier: For the first time Christian is called by Antoine's professional name.

gouttières: booms for mounting lights.

46 **potence:** an execution-image which announces that of the tumbril at the première of *Jack*. See p. 67.

machiniste: stage hand.

47 **l'opérateur:** cameraman.

rachitiques: rickety.

48 **Non, mon petit . . . ce n'est pas ça . . .:** the first formal disavowal of Vautier's acting-technique.

49 **il s'inclina . . . basculer:** a reference which looks forward to

Page

the way in which Vautier almost lets himself overbalance at the end of the novel. See pp. 187–8.

le 'travelling': the device in cinema by which a close-up is achieved by moving the camera towards the subject.

50 **Nous allons tourner ça:** The previous scene has only been a rehearsal. Despagnat is now going to film it, with sound.

51 **D'ailleurs, Despagnat . . . deçu:** Vautier's judgement on Despagnat is ironical in view of the director's subsequent exasperation with him.

l'affaire est dans le sac: it's in the bag. (Also the title of a film of the period by the Prévert brothers.)

la projection: the screening (of the test).

dans les transes: on tenterhooks.

les premières: French trams, like the present-day *métro*, had two classes.

52 **prises de vue:** shooting.

premier tour de manivelle: the beginning of filming. Literally, the first turn of the handle. Dates from the time when cameras were hand operated.

53 **contre-plaqué:** plywood.

cotte: overalls.

revêtement de liège: cork lining.

54 **firent feu:** In all the descriptions of the making of the film, Troyat makes copious use of military and weapon imagery.

Elargis le rayon du trois: broaden the beam of spotlight number three.

Accessoiriste!: property assistant.

sonné: mad.

55 **si tu pouvais . . . le petit:** The irony of the request becomes evident as Vautier has difficulty in keeping even his own role in *Le Petit Prince Mirka*.

une injure russe: one of the rare references, in Troyat's short fiction, to things Russian.

le plateau: the set.

sunlights: floodlights.

57 **Ambiance!:** Action!

Elle avait espéré . . . l'irritait: Through Jeanne's reaction, Troyat initiates the reader into the disorientating artificiality of film-making.

58 **calotte:** skullcap under a wig.

mon maquillage, maman: this last line emphasizes the initial result of Vautier's decision: a cruel barrier between Christian's profession and his mother's expression of tenderness.

59 **d'Argenton, Ida de Barancy:** D'Argenton is the lover of Jack's mother, Ida de Barancy, and the source of all the boy's misfortunes.

par un ricochet soudain: a further stage in Jeanne's growing obsession with Christian.

60 **Que n'avait-elle . . . cette entreprise!:** an interesting double use of the past subjunctive, which confers a sense of formality and tragic dignity on Jeanne's musings.

Le métier d'acteur . . . la vedette: Both Jeanne and Antoine subscribe unthinkingly to the work ethic, a belief which is shattered by Christian's success. Cf. Vautier's father's advice to his son, p. 6.

61 **L'œuf de bois:** the wooden egg-shaped mould, used for darning socks.

isolement insupportable: One of the major reasons contributing to Jeanne's idolizing of Christian is her loneliness. Her life is a vacuum which has to be filled, either by Vautier or by her son.

le décor de leur arrivée: Jeanne's role in the home is that of stage-manager.

Charles Boyer: Born 1899. A sophisticated French film actor who, after a successful career in France, moved to Hollywood. His best-known French films were *Tumulte* (1931), and *La Bataille* (1934), from which Vautier quotes.

62 **doublage:** dubbing. Since France imported vast numbers of American films, dubbing them into French was, and still is, an important part of the French film industry.

Ce que j'ai pu me marrer!: How I laughed.

se dandiner: to sway from side to side.

63 **la seconde partie du film:** since the film extends to the adult life of Jack, two actors are needed to play the role, Christian and Degal.

qui font roue libre: literally, to freewheel.

Je ne casse peut-être rien: Perhaps I'm not sensational . . .

suisse: manservant.

un impuissant de la pellicule: a man incapable of using film properly.

un canard: (slang) a newspaper. Hence the title of the satirical weekly, *Le Canard enchaîné*.

Page

63 **déboulonner:** to discredit.

64 **je m'en balance:** I couldn't care less.

65 **piaulant:** cheeping.

Il avait toujours pensé . . . se consacrât: Here Troyat indicates a side to Christian which he fails to develop, and which he has in common with Gérard Fonsèque of *L'Araigne* and Etienne Martin in *La Tête sur les épaules:* the belief of an adolescent that he is a superior individual.

66 **la voix de sa mère . . . la replique:** again, Jeanne's role is reduced to that of feeding Antoine lines.

une plane rumeur de marée: yet another tide image, which prefigures the description of the organ at the première of *Jack*.

67 **lacustre:** lakeside.

68 **baignoire:** a ground floor box.

une expression d'illuminée: the look of a visionary. It is at this moment that Jeanne's worship of Christian is born.

70 **Une rumeur de parlote polie, de volière réservée, de débarca-dère élégant:** the sound of polite chatter, reminiscent of a distinguished aviary or an elegant landing-stage.

71 **imbriquées:** interlocking.

la vraie maman . . . *Jack:* a phrase which underlines neatly the ambiguity of the family situation.

72 **découpage, montage:** the two components of the process of editing a film, the cutting and the linking together of shots.

la longueur de pellicule sacrifiée: the cutting-ration.

74 **chasseur:** commissionaire.

simplicité tragique: Jeanne is now beginning to act, in her turn.

bande: here, film.

75 **'fondu':** dissolve.

fauteuil: stall-seat.

Mme Goulevin tamponnait ses paupières sèches: a reminder of the gentle humour of which Troyat is capable.

76 **Sur la façade . . . nocturnes:** an observation which refers to the title: *Grandeur nature.*

Mondial-Palace: a name which reflects ironically the Eden-Palace, turned into a cinema after the closure of *Pitchounette.*

77 **Quel tube à pommade:** What an old flatterer! ('passer de la pommade à quelqu'un' = to butter someone up).

l'Argus: a professional press-clipping agency.

Page

une application d'écolière: a further example of the inversion of roles. Christian is now the adult, Jeanne the schoolgirl.

78 **Son amour se muait en adoration:** a vital stage in the transferral of Jeanne's affections from Antoine to Christian.

Il était fatigué, énervé: the first indication of Antoine's growing estrangement.

étale: slack.

80 **Un monsieur! . . . un beau monsieur!:** Even though she is joking, Jeanne's terminology indicates the extent to which Christian has become a successful rival to Antoine.

81 **déclic de gâchette:** the click of a trigger. Yet another weapon image, which here emphasizes the menace of Christian's arrival.

82 **en équerre:** at right-angles.

83 **Mais il se reprocha . . . ressentiment:** Troyat is most careful to indicate the way in which Vautier is estranged in spite of himself. As a portrait of growing jealousy it is psychologically very sound.

une bouteille de mousseux: a bottle of sparkling wine, but cheaper than champagne.

une bouteille de champagne de marque: a good bottle of champagne.

84 **Antoine se regarda dans la glace:** the sentence recalls the opening of the novel.

essayage: costume-fitting.

caquetage: cackle. The description is no longer objective, but conveyed through Antoine.

rogues: offensive, arrogant.

85 **'décrocher la timbale':** to hit the jackpot.

une lenteur et un détachement: Jeanne has now taken on one of Vautier's most pronounced speech characteristics.

galopin: young rascal.

87 **Il a été obligé . . . histoire odieuse:** It is unclear what this refers to, unless it be the choice of Boivin rather than Vautier for the dubbing of *Le Tueur de Gay Street*.

88 **vertigineusement pressés:** a good example of the exaggerated, insincere speech of Monica.

toute nimbée de fourrures mousseuses: in a halo of soft furs.

88–9 **je voudrais fuire loin des gens . . . d'un fruit:** Troyat makes use of the same clichéd wish for isolation in *Etrangers sur la terre*, where Serge Danoff's mistress, Lucienne Perez,

Page

expresses the wish 'd'aller vivre seule, dans une maison de pêcheur, sur la côte bretonne' (Collection Folio, vol. 1, p. 253).

90 **Comptez sur moi plutôt!:** Jeanne has now turned the tables on Antoine, becoming dominant to the extent of stealing his laughter and, inadvertently, humiliating him.

91 **bourrelées:** tormented.

92 **deux crèmes:** two white coffees.

la roupie de sansonnet: rubbish.

93 **modestie:** the first example of the inverted situation in which Antoine's jealous denigration of his son's achievements is taken for paternal modesty.

faire de frais: to act formally, to hold oneself back.

midinette: shop-girl.

bourrade: thump or prod.

Le biftek assuré!: Your living ensured!

96 **TSF:** *télégraphie sans fil*, the old term for radio, now: *la radio*.

97 **elle corna une page:** she turned down the corner of a page.

98 **Tu joueras le précepteur du petit prince:** In the same way that Vautier is denied the possibility of tutoring Christian as an actor, he will fail in his role as Christian's fictional tutor.

99 **intéressant:** lucrative, profitable.

Mounet-Sully: (1841–1916) one of the great nineteenth-century tragedians, famous for his roles as Oreste, Hamlet and Oedipus.

103 **Il connut le supplice . . . il était venu:** Vautier's exit from the spotlights to the shadows is also figurative.

104 **Un piètre bonhomme:** a paltry figure.

105 **face au miroir:** Troyat makes maximum use of Vautier's successive confrontations with mirrors to underline the stages of his descent.

106 **devant le petit:** The repetition of *le petit* represents Vautier's accumulation of exasperation.

épluchage: literally, peeling away. Here, erosion.

demi sur demi: beer after beer (1 demi = 25 cl.).

reflet: here the mirror image enters Vautier's own psychology.

107 **octroyées:** granted. A very formal term, to denote the irony of the situation.

Page

107 **tuyaux:** tips.

  jouer au prorata: to take parts in turn. The ideal of the theatrical cooperative.

  chopes à facettes: dimpled beer-mugs.

  soucoupes: it is still the custom in some old-fashioned French cafés to give a plastic saucer with every drink. Rather than for the convenience of the customer, this enables the waiter to calculate easily the amount to be charged at the end of the evening.

109 **les yeux écarquillés:** with staring eyes.

  Ce que t'es chic . . . mon chou!: The compression of *tu es* into *t'es* is the furthest Troyat goes in literary reproduction of the spoken language.

110 **boîtes:** establishments. Here, theatres.

111 **Juste la réplique qu'il fallait!:** Antoine has slipped into the same relationship with Reine Roy as he had previously with Jeanne.

  un rôle à la gomme: a hopeless part.

  catin: trollop.

  faire ses Pâques: to go to Easter mass and confession.

112 **Que penses-tu . . . cheveux?:** a repetition of Reine's first utterance. See p. 13.

113 **emmitouflée:** literally, wrapped up in. Here, covered with.

114 **j'ai la flemme:** I can't be bothered.

  la guigne: rotten luck.

115 **bath:** great.

116 **générique:** cast-list, credits.

  pseudonyme: As the tragedy crowds in on Vautier, this attack on his name, on his very identity, is the cruellest assault of all.

120 **cocher:** tó tick.

121 **flux et reflux:** a further example of the consistent tide imagery.

122 **batracien:** toad.

125 **On expédie le texte à grand renfort de grimaces:** You get the script over with the help of a large number of gestures.

  groins: snouts.

126 **tapi dans le guignol:** hidden in the wings.

  Je vous fais faire une balade: I'll take you for a run.

127 **Harry Baur:** French stage and film actor (1880–1943).

  Lorenzaccio: A tragedy (1834), in the Shakespearean genre, by the romantic poet and dramatist Alfred de Musset.

Page

127 **régisseur:** in the theatre, stage manager.

eau de Selz: soda water.

128 **rioter:** to giggle (Troyat appears to have invented his own diminutive of *rire*).

nouvelle coiffure: Reine's constantly changing hairstyle is used as a *leitmotiv* by Troyat.

129 **sur les épaules:** Vautier is wearing by far the most studiedly 'theatrical' style of clothes.

belote: a traditional French card game, of Dutch origin, of the same complexity as bridge.

130 **expectatives:** state of uncertainty.

131 **Valence:** a town on the Rhône, mid-way between Lyon and Avignon, the traditional beginning of the *Midi*.

Emile Augier: French dramatist (1820–89), born in Valence, a popular author of social comedies.

133 **désopilante:** hilarious.

rubrique cinématographique: film column.

état civil: a number of elements defining one's status in society: birth, marriage, domicile, etc. To this list, Vautier has to add: 'Father of Christian'.

être aux anges: to be in ecstasy.

plumitif: scribbler.

134 **éculés:** hackneyed.

feuille de chou régionale: some provincial rag.

135 **du toc:** imitation rubbish.

rêche: rough, harsh.

faire la part de: to take into account.

136 **patelins:** slang, provincial towns; literally, villages.

137 **Il lui parlait . . . conquise:** Ironically, Vautier is only too accurate in his predictions.

Livron: a small town, South of Valence.

au pied levé: at a moment's notice.

138 **Son gros visage . . . :** This description marks the culmination of the grotesqueness of Vautier's hypochondria.

Il a pris au souffleur?: Did he need prompting?

139 **Ne comprenait-elle pas . . . cette phrase?:** This is precisely the inherent danger of Vautier's existence. Reducing everyone else to feeding him lines, if they fail he is doubly vulnerable.

140 **mirobolant:** fantastic.

bouziller: to ruin.

Page

142 **Il hésita . . . de l'affaire:** It is this inability genuinely to open himself to other people that constitutes part of Vautier's tragedy.

145 **cabotinage infantile:** infantile 'hamming'.

146 **Mais Christian? Mais Jeanne?:** Vautier's problem is that he is unable to break away sufficiently from his family to indulge himself completely.

147 **quelles andouilles:** what fools!
pipi de mérinos: rubbish.
se mettre le sang en boule: to get in a state.

148 **les bruits de coulisses:** sound effects.

151 **Il souffrait . . . apporter:** Even in his desire to comfort the family, Vautier perceives that he will be supplanted. He is now reverting to the role of protective father, which is, however, by no means disinterested. From now on, he will be caught in a limbo, between Reine Roy, whom he sees as a barrier, and his family, who can no longer accept him as the centre of their lives.

153 **dédit:** forfeit, penalty.
manufactures: factories.

154 **cette admiration même lui pesait à présent:** Being redirected towards his family, it is their admiration, which will prove impossible, which is the only one that Vautier can accept.
collée: an adjective which recalls Vautier's first assessment of Reine Roy. See p. 11.

155 **Antibes:** a small Riviera resort, near Nice. The tour, beginning at Valence, has moved down the Rhône to Montélimar and then on to the Mediterranean.
patte: This use of animal imagery to refer to Vautier's hand prefigures his uncontrollable rage on their return to the hotel and Reine's cry of 'brute!', p. 159.

157 **Ça c'est le bouquet:** That takes the biscuit.

158 **pourquoi m'as-tu forcé à te suivre?:** The massive bad faith of this question is obvious.

159 **en trombe:** like a whirlwind.

160 **Nevers:** a town on the Loire, about a hundred miles from Paris.

161 **Il drope:** It's really belting along.

162 **La vitre noire . . . la lampe:** a further use of mirror imagery.
signal: in this context, probably a level-crossing bell.
agreste: rustic. A highly literary term.

Page

162 **fantômes:** Whilst his touring colleagues have now become ghosts for him, Vautier is about to discover a ghost-family at home.

   les carnets sortis: a reflection of the parting at the end of *Pitchounette.*

164 **arrêt momentané:** The breakdown of the lift serves as an omen on Vautier's return.

165 **tu ne resteras pas longtemps:** a command reminiscent of the order of a nurse.

166 **les cheveux blonds . . . sur les tempes:** Christian, in his pitiable state, has become a caricature of Jack.

167 **intrus:** This is to be Vautier's role for the rest of his life.

168 **ça a gazé?:** did it go well?

   il s'ébrouait: he shook himself.

169 **la table nue:** Jeanne's clearing of the table is the outward sign of the way in which Vautier has become redundant.

   Si ça t'amuse de les voir?: an ironic echo of Jeanne's showing Christian's press-cuttings to the neighbours.

   rigolo: funny.

170 **Il était en nage:** He was sweating.

171 **les coups durs:** difficult missions. The phrase is normally used of commando operations or crimes.

172 **Frappé:** Ice-cold Despagnat's mixture of excuses and cocktail details conveys his basic insincerity.

173 **des rides en collodion:** grease-paint wrinkles.

173–4 **la satisfaction . . . refusât:** for the last time, Vautier has the impression of having things his own way. By seeing Despagnat, he does his best for Christian; by failing, he seems to remove the threat that Christian represents.

174 **gaffé:** made a mistake.

175 **tanière:** den or lair. Not only does this reinforce the animal imagery, but it constitutes a further irony. For him, Vautier's home is by no means a safe retreat.

176 **Il t'a retourné comme un gant:** You were putty in his hands.

178 **cotés:** valued.

   navet: flop, disaster. Cf. '*four*'.

179 **contemplant dans la glace:** Christian, like his father and Jeanne before him, now enters the world of mirrors.

   J'ai peur qu'il ne me fasse de la neurasthénie: I'm afraid I'll have a nervous breakdown on my hands.

   Cependant l'argent manquait à la maison: Antoine's satisfac-

tion at this is a further example of the way in which the
reflection of the first part of the novel is inverted.

180 **Il tâchera de me caser:** He'll try to get me in.

182 **Il se démaquille en hâte:** a repetition of the opening scene of
the novel.

dépoitraillés: literally, to have one's shirt hanging out. Here,
untidy.

185 **Ce qu'il veut . . . ne l'obtiendra plus!:** the final realization
that Vautier will never recover his family's affection.

Il se ronge à ne pas tourner: He's eating his heart out at not
filming.

acide picrique: an antiseptic. Jeanne's burn contrasts ironically with that of Reine Roy in her seduction of Vautier.